Les Éditions du Boréal
4447, rue Saint-Denis
Montréal (Québec) H2J 2L2
www.editionsboreal.qc.ca

Science, on coupe !

Chris Turner

Science, on coupe !

Chercheurs muselés et aveuglement volontaire : bienvenue au Canada de Stephen Harper

préface d'Yves Gingras

traduit de l'anglais (Canada)
par Hervé Juste

Boréal

Dépôt légal : 1er trimestre 2014
Bibliothèque et Archives nationales du Québec

L'édition originale de cet ouvrage a été publiée en 2013 par Greystone Books Ltd.
sous le titre *The War on Science.*

Diffusion au Canada : Dimedia
Diffusion et distribution en Europe : Volumen

Catalogage avant publication de Bibliothèque et Archives nationales du Québec et Bibliothèque et Archives Canada

Turner, Chris

Science, on coupe ! : chercheurs muselés et aveuglement volontaire : bienvenue au Canada de Stephen Harper

Traduction de : War on science.

ISBN 978-2-7646-2321-3

1. Sciences – Aspect politique – Canada. 2. Canada – Politique et gouvernement – 2006- . I. Titre. II. Titre : War on science. Français.

Q175.52.C3T8714 2014 509.71 C2013-942714-7

ISBN PAPIER 978-2-7646-2321-3

ISBN PDF 978-2-7646-3321-2

ISBN ePUB 978-2-7646-4321-1

À l'équipe de campagne de la Turner4YYC

Préface

Le réveil des scientifiques

Yves Gingras

Tant par leur formation, leurs activités quotidiennes – et souvent même par tempérament –, les chercheurs des disciplines scientifiques travaillent dans l'ombre de leurs laboratoires. Ils sont alors invisibles sur la place publique, plutôt encombrée par les revendications récurrentes des grands syndicats ou des étudiants en colère devant la remise en cause d'acquis sociaux.

L'irruption soudaine, devant le parlement fédéral et dans les rues d'Ottawa, le 10 juillet 2012, et par la suite dans plusieurs villes partout au pays, Montréal y compris, de savants en blouses blanches et portant pancartes a donc constitué une surprise de taille. Les passants ont découvert soudain que ces « rats de laboratoire » pouvaient eux aussi avoir des revendications bien à eux : « pas de science, pas de preuve, pas de vérité, pas de démocratie » proclamait une pancarte. Leur manque d'expérience de la communication publique se lisait aussi sur des affiches réclamant « l'évaluation par les pairs », formulation plutôt ésotérique pour le citoyen moyen.

Cette rare sortie publique de chercheurs travaillant dans des laboratoires gouvernementaux rappelle utilement que la recherche scientifique ne se fait pas seulement dans les univer-

sités et la grande industrie, mais que le bon gouvernement d'un pays et d'une société repose aussi sur de multiples activités de recherche et d'enquête. De nombreux laboratoires gouvernementaux répartis sur l'ensemble du territoire, dans lesquels les scientifiques font avancer les connaissances au service de la santé et de la sécurité des citoyens ainsi que de leur environnement, sont en effet nécessaires pour planifier l'avenir et éviter des catastrophes. Au Québec seulement, on peut penser à l'Institut Maurice-Lamontagne, à Mont-Joli, dont la mission est de « fournir au gouvernement fédéral une base scientifique pour la conservation des ressources halieutiques marines, pour la protection de l'environnement marin et pour la navigation maritime sécuritaire, et d'assurer l'application de lois visant la gestion intégrée du milieu marin et la protection de l'habitat du poisson ». Pensons aussi aux laboratoires du Conseil national de recherche du Canada sur les matériaux, installés à Boucherville, ou encore à ceux spécialisés en biotechnologie et situés à Montréal. En 2013, le gouvernement fédéral employait ainsi un peu plus de sept mille chercheurs pour répondre à ses besoins dans toutes les disciplines[1]*. À une moindre échelle, les gouvernements provinciaux embauchent également des chercheurs pour répondre à leurs besoins spécifiques. Ainsi, le gouvernement du Québec possède des laboratoires qui emploient environ cinq cents chercheurs, les plus importants étant liés au ministère des Ressources naturelles et à l'Institut national de santé publique*[2]*.*

1. Statistique Canada, tableau CANSIM 358-0147.

2. Institut de la statistique du Québec, *Compendium d'indicateurs de l'activité scientifique et technologique du Québec*, édition 2013.

Jusqu'à récemment, ces milliers de scientifiques de la fonction publique se contentaient de faire leur travail et n'intervenaient dans les médias que pour présenter, rarement et brièvement, les résultats de leurs recherches qui avaient un impact sur la réglementation concernant des quotas de pêche, la salubrité des eaux ou l'homologation d'un nouveau médicament.

Que s'est-il donc passé pour qu'on puisse parler, au Canada, comme le fait dans cet ouvrage important le journaliste Chris Turner, de « guerre à la science » ? Pourtant, au cours de la décennie allant en gros de 1997 à 2006, la communauté scientifique avait été relativement choyée par le gouvernement fédéral. Les surplus budgétaires avaient alors en effet permis au gouvernement libéral de Jean Chrétien de créer un ensemble de nouvelles institutions qui ont profité aux scientifiques : la Fondation canadienne pour l'innovation (1996), les bourses du millénaire (1998), les chaires de recherche du Canada (2000), Génome Canada (2000) et le Fonds canadien de développement pour les changements climatiques (2000).

On pouvait donc croire que ce genre d'attaque contre la science était confiné aux États-Unis, où les sbires du président George W. Bush, lui-même chrétien évangéliste, muselaient les chercheurs et modifiaient les conclusions de leurs travaux quand ils n'allaient pas dans le sens de leurs intérêts et de ceux de certaines industries.

Cela avait alors donné lieu à la publication de nombreux rapports et ouvrages critiquant le contrôle du gouvernement fédéral sur la recherche et dénonçant son scepticisme à l'égard des questions touchant l'évolution, l'environnement et le réchauffement climatique. Mentionnons seule-

ment l'ouvrage de Chris Mooney, The Republican War on Science, *paru en 2005.*

À ceux qui croient encore que le Canada est immunisé contre les extravagances des conservateurs américains, il faut rappeler ici le jugement de la journaliste torontoise Marci McDonald, qui, au cours de son enquête sur la montée de la droite chrétienne au Canada et au sein du Parti conservateur en particulier, se faisait dire par ses collègues qu'elle avait « perdu l'esprit », car un tel phénomène était typiquement américain et n'avait rien à voir avec le Canada[3]*. Pourtant, son ouvrage a montré tout le contraire et a documenté l'influence grandissante des chrétiens évangélistes au sein du Parti conservateur de Stephen Harper.*

Le sentiment croissant d'une méfiance du gouvernement canadien à l'égard de la science coïncide bien sûr avec l'élection, en janvier 2006, d'un gouvernement conservateur sous la houlette de Stephen Harper. Le réveil des scientifiques est ainsi l'effet de la conjonction d'une crise économique et de l'arrivée au pouvoir du Parti conservateur à l'idéologie droitiste et crypto-évangéliste. Premier indice d'une conception particulière de la science, le premier ministre nomme, en 2008, au poste de ministre d'État à la Science et la Technologie, Gary Goodyear, chiropraticien de formation et surtout reconnu comme opposant à la théorie de l'évolution – ou à tout le moins comme ignorant son contenu réel.

Les Canadiens, qui ont l'habitude de voir leurs gouvernements, même conservateurs, gouverner pas trop loin du

---

3. Marci McDonald, *Le Facteur Armageddon. La montée de la droite chrétienne au Canada,* Montréal, Stanké, 2011, p. 11.

centre, semblaient croire qu'il en irait de même sous Harper. Grave erreur ! Les élus conservateurs partagent fidèlement son idéologie et l'appliquent sans se soucier des critiques. L'abolition en 2010 du questionnaire détaillé obligatoire de recensement en fournit un bel exemple. Malgré l'opposition unanime des experts et des représentants des industries – qui savent l'importance de données statistiques fiables pour planifier les demandes futures –, sans compter la démission du statisticien en chef, le gouvernement n'a pas bronché. Depuis, Statistique Canada, qui publie les données du nouveau recensement, ne peut jurer de leur fiabilité et de leur comparabilité et avertit les utilisateurs que les résultats doivent être interprétés avec prudence, leur représentativité n'étant plus assurée par le caractère volontaire des réponses fournies.

L'impact limité des manifestations organisées par les scientifiques canadiens s'explique aussi par l'absence d'une organisation nationale pouvant leur servir de porte-parole[4]*. Le Syndicat canadien de la fonction publique défend bien la cause des chercheurs à l'emploi du gouvernement fédéral, mais il ne représente pas vraiment la communauté scientifique. Les physiciens, biologistes et autres chercheurs ont leurs sociétés savantes respectives, mais celles-ci marchent en ordre dispersé. En Grande-Bretagne, la British Association for the Advancement of Science (BAAS), tout comme son pendant américain, la AAAS, regroupe l'ensemble des scientifiques, quelle que soit leur discipline. Ces organisations sont donc*

4. Yves Gingras, « Why Canada Never Had a National Association for the Advancement of Sciences », *Physics in Canada*, vol. 62, n° 5, p. 355-359.

bien placées pour parler de façon légitime au nom de la science. Au Canada, seul le Québec s'est doté, dès 1923, d'un équivalent : l'ACFAS. D'abord Association canadienne-française pour l'avancement des sciences, elle est devenue l'Association francophone pour le savoir. Grâce à l'ACFAS, les chercheurs québécois peuvent parler d'une seule voix pour défendre les sciences et en faire la promotion[5]*. Les présidents successifs de l'ACFAS sont d'ailleurs intervenus fréquemment pour dénoncer les décisions fédérales mal avisées concernant non seulement le recensement, mais aussi la liberté d'expression des chercheurs gouvernementaux et les compressions dans les budgets alloués à la recherche.*

On pourrait multiplier les exemples de décisions prises par le gouvernement Harper et qui sont incompatibles avec une gestion rationnelle, collective et honnête des multiples besoins de la société, gestion qui doit se fonder sur des connaissances validées par des enquêtes et des recherches objectives effectuées par des chercheurs indépendants. L'ouvrage de Chris Turner se charge d'ailleurs de fournir au lecteur la liste des mesures que le gouvernement de Stephen Harper a adoptées visant à affaiblir des institutions scientifiques pourtant essentielles à la gestion et à la planification des besoins présents et futurs des citoyens.

On ne peut bien sûr que déplorer qu'un gouvernement élu préfère l'ignorance à la connaissance, mais comme, semble-t-il, à quelque chose malheur est bon, on peut se consoler en pensant que ce mépris de la recherche scientifique indépen-

5. Yves Gingras, *Pour l'avancement des sciences. Histoire de l'ACFAS, 1923-1993*, Montréal, Boréal, 1994.

dante aura forcé les scientifiques à sortir de leurs gonds et, pour un instant, de leurs laboratoires. Car c'est peut-être durant ces marches de protestation collective qu'ils ont commencé à prendre conscience que la science ne va pas de soi et que certaines conditions sociales doivent être réunies pour rendre possible une recherche scientifique désintéressée et sans contraintes idéologiques. C'est probablement cette réalité que tentait d'exprimer la pancarte affichant l'équation :

pas de science = pas de preuve =
pas de vérité = pas de démocratie

Elle est un peu plus longue que la célèbre équation d'Einstein, $E=mc^2$, mais elle n'en est que plus importante.

1

La marche des blouses blanches

Du labo à la rue

Printemps-été 2012

La marche de protestation qui serpente à travers Ottawa, ce matin du 10 juillet 2012, ressemble par certains côtés à un classique du genre : manifestants brandissant des pancartes et scandant des slogans, défilé d'orateurs aux discours exaltés, police redirigeant la circulation tout en veillant au grain. Sous un ciel d'un bleu éclatant, les protestataires s'élancent du centre des congrès et longent le Château Laurier pour atteindre la Colline du Parlement, piquant la curiosité des rares touristes et des badauds. Dans l'ensemble, ils battent le pavé de la capitale avec discipline, calme et détermination.

Les seuls signes qui font de cette marche un événement unique dans l'histoire de la vie publique canadienne sont les blouses blanches qu'ont revêtues des dizaines de manifestants et le détournement, version professeur Tournesol, d'un slogan bien connu :

« Que voulons-nous ?
La science !

Quand la voulons-nous ?
Après une révision par les pairs ! »

Une jeune femme armée d'une faux et arborant la toge noire à capuche de la Grande Faucheuse ouvre le cortège, suivie par un groupe de porteurs tenant un cercueil factice sur leurs épaules. La manifestation, baptisée « Marche funèbre pour la preuve », est organisée par des scientifiques et composée principalement de chercheurs – sur le terrain et en laboratoire – et d'étudiants de deuxième et troisième cycle. De mémoire de protestataire, c'est la toute première fois que des scientifiques se rassemblent pour manifester sur la Colline du Parlement.

Par vocation et par tradition, et souvent aussi par nature, les scientifiques sont des gens prudents et réservés. Ils accordent la plus haute valeur à l'argumentation raisonnée et à l'étude menée à huis clos, convaincus au tréfonds d'eux-mêmes que la preuve scientifique, recueillie objectivement et analysée avec impartialité, doit toujours primer sur l'opinion, le débat et le slogan vociféré dans l'établissement de ce qui est vrai et raisonnable et dans le choix des orientations qui servent le mieux l'intérêt général. Lorsqu'ils s'expriment publiquement, ils s'efforcent d'adopter le langage méticuleux et technique des publications scientifiques révisées par des pairs. Que les scientifiques d'Ottawa aient porté leur discours dans la rue, qu'ils l'aient amplifié, réduit aux accents grossièrement simplificateurs d'un slogan, en dit long sur le déclin catastrophique de l'harmonie qui caractérise leur dialogue habituel avec le gouvernement du Canada.

Dans la vie publique canadienne, une sorte d'entente

tacite a régné pendant des générations entre scientifiques et politiciens, entre ceux qui recueillent et analysent les données et ceux qui exploitent les études, livres blancs, énoncés de principe et témoignages devant les comités qui en découlent, dans le but de légiférer. Les choses se passaient grosso modo comme ceci : législateurs fédéraux et décideurs politiques se fondaient systématiquement sur la meilleure preuve existante. Même si tous les points de vue et idéologies pouvaient être représentés à des degrés divers dans le discours public – socialistes enragés et libertaires convaincus, capitalistes rapaces et gauchistes au cœur saignant, conservateurs et libéraux, verts et néo-démocrates –, la preuve scientifique existait en dehors de cette arène cacophonique d'opinions opposées. Les paramètres de l'ensemble du débat étaient fixés par la réalité observable, vérifiable et révisable par des pairs, et non par l'opportunisme politique ou par un avantage stratégique. Et même si ce contrat social fondé sur la preuve n'était pas toujours honoré parfaitement, il n'était jamais renié unilatéralement. Les politiciens pouvaient, au nom d'un gain à court terme, éluder des faits embarrassants ou omettre des détails problématiques, mais on n'admettait pas qu'ils nient la pertinence de la méthode scientifique elle-même dans la formulation d'une politique. À un moment donné, il fallait se rendre à l'évidence des faits, non ?

Depuis que les conservateurs de Stephen Harper ont formé leur premier gouvernement, en 2006, le pacte entre la preuve scientifique et la politique s'est érodé, émietté, puis a fini par s'effondrer à un niveau fondamental – ce qui a amené les scientifiques à enfiler leurs blouses blanches et à marcher sur la Colline du Parlement. Le processus a été lent et sporadique au début : des compressions de programmes ésotériques ici et là, des experts et leurs études placés sous la tutelle de conseillers en communication, leurs conclusions manipulées de manière à corroborer les argumentaires dictés par le Cabinet du premier ministre. La campagne s'est intensifiée par à-coups pendant les années de gouvernement minoritaire, plusieurs mesures suscitant le mécontentement : rejet de certaines preuves scientifiques ; abolition du Bureau du conseiller national des sciences sous le regard impuissant d'experts réduits au silence ; suppression de la version détaillée du formulaire de recensement ; dépôt d'un projet de loi radical sur la criminalité, allant à l'encontre de décennies de recherche.

Très vite, au cours de la première année du mandat majoritaire de Harper, les inquiétudes de la communauté scientifique cèdent le pas à l'indignation. Tout au long du printemps 2012, il ne se passe pas deux jours sans qu'on annonce une nouvelle compression budgétaire ou la fermeture d'un centre de recherche, gracieusetés de C-38, le projet de loi budgétaire omnibus présenté au triple galop par les conservateurs. Sous couvert de nécessité financière, ce texte semble avoir pour but de réécrire la totalité du contrat passé entre scientifiques et décideurs.

« C'était hallucinant, se souvient Jeffrey Hutchings, professeur de biologie à l'Université Dalhousie. On aurait dit que chaque semaine apportait une nouvelle annonce. Au point que, au sein de la communauté scientifique canadienne, non seulement nous nous demandions quelle serait la prochaine décision, mais, devant cette avalanche de mauvaises nouvelles, nous ne savions plus trop comment réagir. Nous nous sentions comme ces boxeurs soûlés de coups qui ont tout juste la force de se tenir debout. »

Le 10 juillet, Hutchings décide de faire front. Il se trouve alors à Ottawa pour assister à un congrès consacré à la biologie de l'évolution, événement coparrainé par la Société canadienne d'écologie et d'évolution. Président de la société, Hutchings est l'hôte conjoint du colloque et, à ce titre, se doit d'assister aux nombreuses activités prévues en salle de conférence. Mais les organisateurs de la Marche funèbre pour la preuve ont pris contact avec lui et le pressent d'y participer. Ce n'est pas une décision facile à prendre. Hutchings craint que sa présence ne soit interprétée comme un appui politique ou comme la recherche d'un profit personnel. « Je ne veux être l'avocat d'aucune autre cause que celle de la communication de la science, dit-il. C'est pourquoi j'étais un peu réticent. »

Une discussion avec un journaliste, quelques jours à peine avant la marche, a finalement raison de ses hésitations. Le matin du jour dit, Hutchings quitte le centre des congrès et sort sur la promenade Colonel-By, revêtu de son impeccable blouse de labo. Puis il se fond dans les rangs, aux côtés de ses confrères en blanc, tous réunis en un geste de solidarité pour défendre une simple affirmation : la preuve scientifique est sacro-sainte, et les arbitres suprêmes de la vérité œuvrent non pas à la Chambre des communes, mais dans les laboratoires. Groupés par pancartes, l'écho des slogans résonnant à leurs oreilles, les plus éminents biologistes évolutionnistes du pays entament leur marche vers la Colline du Parlement.

Les pancartes elles-mêmes résument l'enjeu de façon lapidaire. L'une d'elles, près de la tête du cortège, arbore la devise officieuse de la manifestation : « Pas de science/Pas de preuve/Pas de vérité/Pas de démocratie. » Une autre exprime les choses plus crûment : « Halte à la guerre anti-science de Harper. »

Les protestataires commencent par se rassembler devant le centre des congrès, car bon nombre d'entre eux, à l'instar de Jeffrey Hutchings, se sont déplacés dans la capitale pour assister au Premier Congrès conjoint en biologie de l'évolution, un de ces événements universitaires très fermés où les titres des présentations garantissent l'exclusion de toute personne qui ne fait pas partie des purs initiés : *Les symbiotes influentiels : maîtres manipulateurs du comportement adaptatif de l'hôte* ; *Évolution des génomes et spéciation : la « génomique nouvelle génération » du parallélisme et de la convergence.* Lorsque des scientifiques échangent entre eux, tel est leur langage favori : technique et fondé sur l'analyse de données, impartial et étayé par des références.

Des autobus remplis de maîtres assistants et d'étudiants de deuxième et troisième cycle de McGill, Queen's et Waterloo, ainsi qu'une poignée de militants plus aguerris mobilisés par le Conseil des Canadiens, sont venus gonfler les rangs des protestataires. Mais pour la plupart de ceux qui, ce jour-là, emboîtent le pas à la Grande Faucheuse sur la promenade Colonel-By, cette marche de contestation est une première.

Mégaphone au poing, une petite brunette s'est postée au bord de l'avenue et regarde anxieusement passer les marcheurs. Katie Gibbs achève dans quelques semaines un doctorat en biologie à l'Université d'Ottawa. La jeune femme est l'un des rares scientifiques présents à posséder une expérience réelle dans l'art de la politique sans ménagement. Militante depuis plusieurs années au sein du Parti vert, elle a coorganisé la Marche funèbre pour la preuve. L'idée de cette manifestation sur la Colline du Parlement lui est venue quelques semaines auparavant, dans un pub d'Ottawa où elle partageait quelques bières avec des collègues. Ces derniers, qui jusque-là voyaient dans ses prises de position à l'emporte-pièce l'expression d'un travers étrange et potentiellement dangereux, étaient enfin prêts à admettre que le gouvernement conservateur dirigé par Stephen Harper ne leur laissait pas d'autre choix pour exprimer leur désaccord. « C'était fascinant, dit-elle, de voir leur état d'esprit évoluer, au point où ils semblaient se rendre compte que, si nous ne nous levions pas pour défendre la science, personne d'autre ne le ferait. »

Tandis que ses pairs défilent devant elle, ce matin-là, Katie Gibbs tend le cou pour tenter d'apercevoir les derniers rangs. Elle s'est fait un sang d'encre à propos du nombre de participants. S'il en venait 500, au moins elle n'aurait pas à rougir. Elle en espère 1 000, mais quand on s'est fait les dents dans les rangs du Parti vert, on n'est pas assez téméraire pour croire que les meilleurs scénarios vont se réaliser. Pourtant, à mesure que le cortège avance, son angoisse fait place à l'excitation. Les minutes passent et, incroyable, elle n'arrive toujours pas à distinguer la queue de la manifestation. Les protestataires n'en finissent pas d'affluer.

À l'avant du cortège, aux côtés des porteurs, un orchestre improvisé de jazz dixieland enchaîne les mesures syncopées de *When the Saints Go Marching In*, donnant une cadence enjouée aux marcheurs. Il y a là des jeunes et des moins jeunes, des chauves et des chevelus, certains tirés à quatre épingles et d'autres portant short et sandales. Ici, un couple âgé arbore des chapeaux de chanvre Tilley, là, un jeune couple déambule avec un bébé calé contre la hanche de sa mère et un autre dans une poussette. Les blouses blanches de laboratoire côtoient les tee-shirts noirs et les robes d'été. Certains groupes de participants, tout sourire sous leur chapeau estival, appareil photo en bandoulière, pourraient passer pour des touristes en excursion à peine descendus de quelque autocar surdimensionné. Katie Gibbs crie de temps à autre dans son mégaphone pour inciter les marcheurs néophytes à garder les rangs. Quelqu'un a fixé un télescope sur son casque de vélo. Une femme en blouse blanche brandit un écriteau sur lequel on peut lire : « Nous ne sommes pas des radicaux. » Une autre pancarte arbore ces simples mots : « [citation requise] » (*sic*). Par centaines et centaines, ils continuent de passer. La GRC estimera finalement le nombre de manifestants à 2 000, mais Katie Gibbs est persuadée qu'ils étaient beaucoup plus. Et si cette foule n'a rien d'une cohue bruyante et indisciplinée, elle n'en déborde pas moins d'enthousiasme.

« Parmi ceux qui participaient réellement, explique Katie Gibbs, il y avait une majorité de scientifiques, dont c'était souvent la première activité militante ou campagne publique. Et je pense que la plupart manifestait dans la rue pour la première fois. D'où cette espèce d'excitation indescriptible qui s'empare de vous quand vous faites quelque chose avec un grand nombre de gens. »

L'un des premiers protestataires à atteindre les marches de l'emblématique édifice du Centre est Diane Orihel, doctorante en biologie aquatique à l'Université de l'Alberta.

Elle doit s'adresser à la foule quand celle-ci sera complètement rassemblée sur la vaste esplanade qui s'étend à ses pieds. Comme Katie Gibbs, elle n'en revient pas du nombre de participants. « J'étais abasourdie par le nombre de personnes venues nous soutenir, dit-elle. Je me revois plantée sur les marches de la Colline du Parlement, contemplant cette foule qui déferlait sur l'esplanade, et il en arrivait encore et encore et encore. Très vite, la place a été bondée, et la GRC a dû laisser les protestataires empiéter sur la pelouse. »

Pour Diane Orihel, l'aventure a commencé six semaines plus tôt, dans un mélange de perplexité, de fureur et de désespoir. Le matin du 17 mai, elle arrive comme d'habitude à son bureau de l'Institut des eaux douces de Winnipeg quand elle apprend par un collègue qu'on vient de convoquer tout le personnel pour une réunion d'urgence. « Ce ne doit pas être une bonne nouvelle », ajoute le collègue.

Au printemps 2012, aucun scientifique travaillant sur un projet financé par le gouvernement fédéral ne peut tenir pour acquis son emploi, surtout si son domaine a trait aux sciences de l'environnement. Le projet de loi C-38 a déclenché une attaque en règle contre la communauté canadienne des chercheurs en environnement. Déposé aux Communes six semaines auparavant, il a provoqué une vague de fermetures et de « lettres d'employé touché » (avis de mise à pied possible ou imminente) dans les instituts de recherche, les stations de surveillance et les laboratoires fédéraux aux quatre coins du pays, dont l'Institut Maurice-Lamontagne, de Mont-Joli, l'un des principaux centres francophones de recherche en sciences de la mer au monde.

« [L']ampleur et la portée du projet de loi, écrit Andrew Coyne dans le *National Post,* se situent à un niveau jamais vu, ni jamais toléré, auparavant. »

Coyne récapitule ainsi les implications extrabudgétaires du projet de loi :

« Il modifie quelque 60 lois différentes, en abroge une demi-douzaine et en ajoute trois, dont une Loi canadienne sur l'évaluation environnementale entièrement réécrite. Il va bien au-delà des préoccupations budgétaires traditionnelles à propos de la taxation et des dépenses, introduisant des changements de politique dans une série de domaines [...] Les chapitres consacrés à l'environnement sont les plus extraordinaires. »

Dans une tribune libre du *Guelph Mercury,* Cynthia Bragg soutient que « le gouvernement fédéral assène un coup de massue à la protection environnementale au Canada ». En vérité, cela ressemble plutôt à une centaine de coups de bistouri rageurs, dont l'un a complètement amputé le programme de la Région des lacs expérimentaux (RLE ; en anglais ELA), le réseau de cinquante-huit petits lacs du nord de l'Ontario sur lequel Diane Orihel et ses collègues de l'Institut des eaux douces mènent des recherches.

L'annonce qui leur est faite à la réunion d'urgence de l'institut est dévastatrice. « Tout le monde, raconte Diane Orihel, a reçu une lettre d'employé touché ou une notification suggérant un changement de lieu de travail : en gros, le personnel s'est fait dire qu'il devait se rendre dans la RLE, retirer son matériel des lacs, enlever son équipement des labos et ramasser ses affaires, et qu'aucune nouvelle recherche ne serait entreprise. On nous a également bien spécifié que nous n'étions pas autorisés à communiquer avec les médias ni avec le public à propos de la RLE. »

La RLE n'est pas un laboratoire au sens classique, mais plutôt une sorte de biosphère close, où certaines expériences peuvent porter sur une modification de l'équilibre biochimique fondamental de tout un lac, voire de plusieurs, pendant des années d'affilée. C'est sans doute l'un des centres de recherche sur l'eau douce les plus importants de la planète, et ses chercheurs – en particulier le cofondateur du projet, David Schindler, de l'Université de l'Alberta – y ont fait des découvertes de portée mondiale, notamment en dévoilant les mécanismes par lesquels les pluies acides contaminent les écosystèmes aquatiques et par lesquels les rejets industriels de phosphore nuisent à l'équilibre chimique de l'eau douce. Vu l'ampleur et la durée de chaque expérience menée dans le cadre de la RLE, les ordres tombés d'Ottawa revenaient à demander à des agriculteurs d'abandonner leur ferme (avec une récolte exceptionnelle encore sur pied, et en pleine disette mondiale).

Étudiante au doctorat, et non salariée de l'Institut des eaux douces, Diane Orihel est l'un des rares spécialistes de la RLE à pouvoir réagir librement. Elle ne tarde pas à devenir l'attachée de presse de facto des défenseurs du projet. Comme elle n'a jamais rédigé de communiqué de presse de sa vie, on doit lui expliquer quelle est la longueur souhaitée, où placer les coordonnées à l'intention des médias, et comment ajouter le symbole de fin « -30- » en vieille routière des relations de presse. « Le lendemain, raconte-t-elle, j'étais littéralement assaillie par les journalistes, et j'ai pris conscience que je me devais d'être le visage de ce projet aux yeux de l'opinion publique puisqu'on avait muselé tous mes collègues. Travaillant pour la RLE depuis dix ans, je représentais l'interface idéale par où l'information pouvait sortir. Pendant une décennie, j'avais entretenu des liens étroits avec les chercheurs, anciens et actuels. J'étais donc parfaitement au diapason de leurs idées pour les incarner aux yeux du public. Et j'étais celle qui avait le moins à perdre puisqu'on ne pouvait pas me congédier. »

Le lendemain de ses premiers pas comme attachée de presse, elle crée une association communautaire, qu'elle baptise « Coalition Sauvez ELA », et fait circuler une pétition. Début juin, forte de 1 700 signatures, elle s'envole vers Ottawa pour présenter la pétition au Parlement. Elle organise quatre conférences de presse à l'Amphithéâtre national de la presse, faisant appel à des scientifiques et à des députés de l'opposition pour défendre le bilan de la RLE. C'est à cette occasion qu'elle rencontre une autre doctorante, une dénommée Katie Gibbs, qui planifie alors une manifestation sur la Colline du Parlement.

À la Marche funèbre pour la preuve, Diane Orihel porte une longue robe noire, comme il sied à des funérailles. La tête à demi couverte par un fichu noir et les yeux dissimulés sous des lunettes fumées, elle contemple la foule qui s'étire depuis les marches de l'édifice du Centre. Elle se tient près du faux cercueil, deux pas derrière les maîtres de cérémonie, Katie Gibbs et Scott Findlay. L'inclusion de Findlay est une idée de Diane. Elle sait que la manifestation a besoin d'au moins une tête qui ne soit pas celle d'un jeune blanc-bec de l'université, de quelqu'un qui soit au-dessus de tout soupçon. Il serait trop facile pour les médias de disqualifier cette marche en l'assimilant à une blague de collégiens organisée par une bande d'étudiants qui n'ont rien de mieux à faire. Professeur à l'Université d'Ottawa, Findlay est un biologiste évolutionniste actif, crédité d'une série de publications évaluées par des pairs. Il apporte la gravité nécessaire et garantit une tribune respectée aux autres orateurs de la manifestation : Jeff Hutchings, Arne Mooers – professeur de biodiversité à l'Université Simon Fraser – et Vance Trudeau, un confrère de Scott Findlay à l'Université d'Ottawa.

Katie Gibbs prend la parole en premier. Elle lit une brève nécrologie de la preuve et présente ceux qu'elle appelle les « orateurs funèbres ». « Nous sommes ici, lance-t-elle, pour commémorer la mort prématurée de la preuve scientifique au Canada. Au terme d'un long combat avec l'actuel gouvernement fédéral, la preuve a reçu le coup de grâce. » Sifflements et cris retentissent dans la foule : « Honte à eux ! » Viennent ensuite les « orateurs funèbres ». Adoptant le ton du politicien en campagne plutôt que celui du professeur d'université, ces derniers limitent leurs interventions à un maximum de deux minutes. Trudeau stigmatise l'aveuglement volontaire qui caractérise l'idéologie « antiscience » du gouvernement : « La propension à n'utiliser que des données et des preuves qui vous conviennent est un détournement de l'information pour des besoins parallèles. C'est ce qu'on appelle de la propagande. » L'orateur suivant, Arne Mooers, s'interroge sur la capacité du pays à relever le défi des changements climatiques sans disposer des meilleures données. « Nier la preuve, assène-t-il, c'est vivre dans un monde imaginaire. »

Jeffrey Hutchings, malgré sa réticence initiale à se

joindre à la manifestation, se révèle un boutefeu dans l'âme et un habile rhétoricien. « La liberté d'expression a cessé d'être un droit pour les scientifiques du gouvernement canadien, clame-t-il. Ces derniers, qui sont payés par les contribuables pour faire de la recherche dans l'intérêt général, ne peuvent plus s'adresser aux Canadiens à moins d'une permission spéciale. Quand on réprime la communication de la science, on réprime la science. Quand on réprime la science, on réprime l'acquisition du savoir. Il existe des précédents alarmants à la mainmise que le gouvernement exerce sur la capacité de la société à acquérir des connaissances. Le gouvernement est en train de tirer un rideau de fer entre la science et la société. Et des rideaux tirés, surtout quand ils sont en fer, font des salles très sombres. »

Après la lecture, par le doctorant de l'Université d'Ottawa Adam Houben, d'une brève déclaration au nom de ses camarades, Diane Orihel reprend le micro. Gardant ses lunettes fumées pour se protéger contre l'éclat du soleil, elle prononce son allocution d'un ton mesuré, mais ferme, à partir des notes qu'elle a préparées. Elle détaille l'extraordinaire bilan de la RLE, « un laboratoire vivant unique au monde » où les meilleurs chercheurs de la planète étudient les effets sur les lacs du phosphore, du mercure, des particules de nanoargent et de bien d'autres substances.

« La disparition prématurée de la Région des lacs expérimentaux, poursuit-elle, laisse dans le deuil des problèmes non résolus, tels que le mécanisme par lequel les changements climatiques altèrent les lacs, ou la nouvelle menace que pourraient faire peser les nanoparticules synthétiques utilisées dans la fabrication de vêtements antimicrobiens.

Ces lacs auraient pu répondre à ces questions à temps et prévenir de grandes souffrances humaines et environnementales, de même que des récessions économiques. Hélas, on les a condamnés à mort. Aujourd'hui, nous pleurons la disparition des Lacs expérimentaux. Mais nous déplorons surtout le bandeau d'ignorance avec lequel on a aveuglé ce qui fut naguère un grand pays. Tremblants et pleins d'appréhension, nous pénétrons dans l'univers du deux-plus-deux-égale-cinq. »

L'auditoire explose, puis la manifestation s'achève. Pour beaucoup trop de marches, cela aurait été la fin de l'histoire. Les protestataires seraient repartis avec leurs souvenirs, les médias y seraient allés de leurs comptes rendus pour la forme, et l'univers du deux-plus-deux-égale-cinq aurait continué à tourner dans les profondeurs de l'oubli. Mais au lieu de s'éteindre à petit feu, la Marche funèbre pour la preuve va se transformer en supernova. La couverture de presse est abondante, avec des reportages engagés et bien en évidence. La manifestation défraye la chronique d'un océan à l'autre et au-delà des frontières. Les dépêches internationales relaient l'histoire, qui atterrit dans les pages des journaux étrangers. « Pourquoi nous devons soutenir les scientifiques canadiens », titre le *Guardian* dans un commentaire qui suscitera de nombreux débats et contribuera encore davantage au retentissement international de la marche.

Dans les jours et les semaines qui suivent, les analystes commencent à tracer des parallèles entre les manifestations des médecins contre les compressions budgétaires frappant les soins de santé aux réfugiés, l'opposition virulente au projet de loi C-38 exprimée par les anciens ministres de

Pêches et Océans, et la marche pacifique et ordonnée des blouses blanches sur la Colline du Parlement. « Cette marche n'est pas seulement sans précédent, ni même seulement extraordinaire, écrit Christopher Hume dans le *Toronto Star.* Elle frappe au cœur obscur du Nouveau Canada, une nation plus encline à dissimuler la vérité qu'à la comprendre, à exploiter les ressources qu'à les préserver. »

Quelques semaines à peine après la manifestation, le premier ministre Stephen Harper déclare à la presse que les projets d'oléoducs seront évalués « selon des critères scientifiques indépendants, et non simplement selon des critères politiques ». L'accent semble mis sur le terme *scientifique*, ce qui laisse espérer aux organisateurs de la marche que, peut-être, leur réprobation a été entendue même par le premier ministre. Après tout, quel gouvernement voudrait être perçu comme l'ennemi de la science ?

C'était évidemment le message que voulaient faire passer les organisateurs, à savoir que certains sujets doivent transcender la politicaillerie, que les données, la recherche, la raison et la preuve ne sont pas des arguments qu'on peut tordre à volonté ni des opinions qu'on peut balayer du revers de la main, mais la matière première de la vérité, des outils indispensables à l'élaboration d'une politique par un gouvernement éclairé. « Le gouvernement Harper, me confie Diane Orihel, poursuit une stratégie qui consiste à miner notre capacité à mener des expériences scientifiques dans notre pays et réduit systématiquement à néant non seulement le financement des programmes, mais jusqu'aux plateformes de recherche dont nous avons besoin pour mener à bien nos travaux. De même, il détruit systématiquement la capacité à exploiter la science que nous produisons aux fins de la promotion de la sauvegarde de l'environnement. Quel est l'intérêt aujourd'hui de mener des recherches qui établissent, par exemple, un lien entre la productivité du poisson et son habitat si les dispositions régissant l'habitat du poisson ont été rayées de la Loi sur les pêches ? »

Que voulons-nous ? LA SCIENCE ! Quand la voulons-nous ? APRÈS UNE RÉVISION PAR LES PAIRS !

Au fond, l'objet de cette manifestation, ce n'était pas de faire pression pour modifier la composition du Parlement, réformer une politique particulière, ni même rétablir le financement d'un programme. La Marche funèbre pour la preuve était un cri de ralliement autour d'une idée qui n'a rien de particulièrement révolutionnaire, puisqu'elle s'inscrit dans la tradition philosophique occidentale depuis le XVIIe siècle – l'idée que la science est l'arbitre ultime de la vérité. Qu'une telle affirmation ait besoin d'une manifestation de rue dans la capitale d'une démocratie, au XXIe siècle, est extrêmement révélateur de la transformation radicale qu'a subie le Canada sous le gouvernement de Stephen Harper.

Depuis que le Canada est une nation, la Colline du Parlement a été le théâtre de débats et de protestations, de minables calculs politiques et de pratiques de copinage. Elle a vu plus que sa part d'ignorance et de duperie. Elle a été témoin d'une multitude de décisions politiques mal informées et de raisonnements à courte vue. C'est ici, au beau milieu d'une crise d'une gravité exceptionnelle, qu'un premier ministre a cherché conseil auprès de son chien mort, dans un aveu d'impuissance resté célèbre. Interpréter la science à tort et à travers, négliger les meilleures preuves existantes, laisser l'idéologie primer sur la raison et la foi sur les faits : la Colline du Parlement en a vu de toutes les couleurs. Mais, dans le Canada de Stephen Harper, une rupture beaucoup plus profonde de la confiance publique est en train de s'opérer. Voilà un gouvernement qui ne se contente pas de faire fi des meilleures preuves, mais qui tente d'en détruire les sources ; voilà un gouvernement qui, en plus de mépriser l'avis des experts, interdit à ces derniers de parler de leurs travaux en public. Réfuter des données valides au nom de l'opportunisme politique est une chose ; c'en est une autre de déclarer la guerre à ceux qui produisent des données controversées et de refuser l'accès aux meilleures preuves existantes non seulement au gouvernement actuel, mais à tous les gouvernements ultérieurs et à tous les Canadiens, présents et futurs. Les gouvernements se chamaillent et sèment la confusion, les partis politiques font leur pain quotidien du commerce des mythes, rumeurs et arguments spécieux, mais seuls les conservateurs de Harper se sont attaqués avec une telle férocité aux laboratoires et aux stations de recherche du pays. Si les blouses blanches ont manifesté sur la Colline du Parlement, ce n'est pas simplement parce que le gouvernement se trompait ; c'est parce qu'il se trompait si lourdement sur *la raison d'être du gouvernement.* Le désaccord ne portait pas sur une politique en particulier, mais sur la façon d'élaborer une politique. Car, depuis que le Canada est une nation, la science s'est tenue au-dessus de la mêlée, trop souvent négligée ou sous-estimée, mais jamais, jusque-là, attaquée de front à des fins partisanes. Voilà ce qui a motivé la marche des blouses blanches : on remettait en question les fondements de l'investigation scientifique et la méthode scientifique elle-même.

Ainsi donc, souvenons-nous de 2012 comme de l'année où des scientifiques du Canada ont marché dans les rues de la capitale pour rétablir les principes de base du siècle des Lumières au sein de son gouvernement. L'année où, chose incroyable, on en est arrivé là.

2

Paysage au crépuscule

Là-haut sur la colline

Printemps-été 2012

En un sens, la Marche funèbre pour la preuve n'est pas le point de départ d'un mouvement de protestation, mais plutôt l'aboutissement d'un conflit qui a traîné en longueur, le nadir d'une spirale descendante. Avant 2012, le paysage politique canadien s'était déjà assombri de façon inquiétante. Bien des mois avant la marche, le Canada de Stephen Harper était devenu un paysage crépusculaire, un lieu où seuls l'avantage politique immédiat et le gain économique à court terme occupaient le haut du pavé, étirant leurs ombres sur les données objectives et l'analyse raisonnée. Et ce paysage continuera à s'obscurcir longtemps après la marche.

Si le parlement est un lieu sombre et troublé, plus sombre encore est le monde qui l'entoure. Le dédain croissant affiché par le gouvernement canadien à l'égard des travaux de ses scientifiques n'a pas poussé en vase clos ni sous des cieux particulièrement calmes et cléments. La science est l'examen des faits du monde matériel et des systèmes naturels qui le gouvernent ; or, en 2012, ces systèmes envoient des signaux clairs indiquant qu'ils traversent une crise profonde – les mêmes qu'ils ne cessent d'émettre depuis des années.

« Je considère qu'il n'y a pas eu de pire année pour le monde naturel au cours du dernier demi-siècle », écrit à la fin de 2012 George Monbiot, chroniqueur au *Guardian*. L'année 2012 aura été l'une des dix plus chaudes que la planète ait connues depuis qu'on a commencé à recueillir des données sur les changements climatiques, dans les années 1800 – la quatrième au Canada et la première de l'histoire des États-Unis. L'annonce d'un dérèglement climatique sans précédent était déjà un non-événement tant se succédaient de manière inattendue phénomènes bizarres et dévastations – une série de téléréalité extrême qui se renouvelait annuellement. L'année 2012 va enrichir cette série de plusieurs épisodes dantesques.

Au cours de cette seule année, la sécheresse dévaste le Midwest et le Sud-Ouest américain, l'ouest de la Russie et d'immenses pans du territoire chinois. L'Australie étouffe sous une vague de chaleur cataclysmique. La tempête la plus féroce depuis des générations pilonne le nord-est des États-Unis, inondant les côtes du New Jersey et quatre des cinq arrondissements de New York avec l'inexorabilité d'une animation dans un film catastrophe. Au Canada, un mois de mars anormalement chaud se conjugue à des gelées d'avril assez meurtrières pour anéantir quatre-vingts pour cent de la récolte de pommes en Ontario. Dans l'Ouest canadien en plein dégel, des inondations couvrent l'intérieur de la Colombie-Britannique au moment même où l'armada naissante de dendroctones du pin lance un nouvel assaut contre les forêts d'altitude de la région. À la fin de l'année, l'appétit insatiable de ces insectes a ravagé plus d'un cinquième de la superficie continentale de la Colombie-Britannique. Un rapport publié en novembre par Holly Maness, chercheuse en environnement à l'Université de Toronto, montre non seulement que des forêts ont été anéanties par le réchauffement climatique qui a permis aux dendroctones de proliférer, mais que les arbres moribonds contribuent à leur tour à un nouveau changement climatique puisque les rayons solaires frappent désormais le sol forestier sans se heurter à la rosée rafraîchissante qui tapissait auparavant les branches des arbres. En outre, bien avant que la marche des blouses blanches ne s'ébranle vers la Colline du Parlement, l'Arctique canadien a entamé sa saison de fonte la plus extrême jamais vue ; à la fin de l'été, un bloc de glace de mer de la taille de l'Inde s'est dissous dans l'océan. L'ampleur et la vitesse de la fonte vont bien au-delà des prédictions prudentes du plus récent rapport produit par le Groupe d'experts intergouvernemental sur l'évolution du climat (GIEC). Dans le Grand Nord canadien, le scénario du pire devient réalité en 2012.

Sur le plan sociopolitique, les affaires du Canada sont tout aussi chaotiques depuis quelques années. Le gouvernement canadien se voit régulièrement décerner des prix Fossile du jour aux négociations internationales sur le climat. Le bilan du Canada en matière d'émissions de gaz à effet de serre le classe bon dernier des pays du G8, tandis que le Conference Board du Canada le relègue au quinzième rang des dix-sept pays les plus riches du monde pour son rendement global en matière de gestion responsable de l'environnement. Pour ceux qui militent contre les changements climatiques, l'industrie de l'extraction pétrolière dans le nord de l'Alberta devient synonyme de destruction de l'environnement, au point qu'un obscur projet d'oléoduc, dont le gouvernement conservateur pensait qu'il passerait comme une lettre à la poste, devient un catalyseur des dissensions à Washington et un cri de ralliement pour les écologistes de l'Amérique de Nord et du reste du monde. Un autre projet, qui vise à faire passer un oléoduc à travers le nord de la Colombie-Britannique, suscite la même levée de boucliers au Canada, tandis que les peuples des Premières Nations aux quatre coins du pays lancent leurs plus vastes campagnes de protestation depuis une génération pour dénoncer un éventail de politiques environnementales destructrices, de multiples compressions budgétaires et l'enlisement des négociations sur les traités. Entre-temps, une épidémie d'*E. coli* dans une usine albertaine de transformation de viande provoque le rappel de bœuf le plus important de l'histoire du Canada, remettant en cause notre système de gestion de la sécurité alimentaire. L'année commence alors qu'on vient tout juste de résoudre – provisoirement, du moins – la crise humanitaire qui sévit dans la réserve amérindienne d'Attawapiskat, et s'achève par le déclenchement de la campagne « *Idle No More* » – « Finie l'inertie » –, un mouvement de protestation autochtone qui hurle sa colère d'un bout à l'autre du Canada. Entre ces deux événements, 116 collectivités des Premières Nations – près d'une sur cinq – doivent composer pendant des mois avec un avis d'ébullition de l'eau en raison de l'état cauchemardesque de leurs réseaux d'approvisionnement.

Le monde naturel lance des signaux d'alarme avec une fréquence et un degré d'urgence jamais vus auparavant. Inquiets, des scientifiques, dirigeants politiques, militants et organisations non gouvernementales de partout au Canada et dans le monde dénoncent avec de plus en plus de véhémence la dérive obstinée du Canada en matière de gestion de l'environnement et de lutte contre le réchauffement climatique. Et, en réaction, que fait le gouvernement canadien ? Dans un geste sans précédent et sans s'appuyer sur la meilleure preuve existante, il orchestre une campagne soutenue et systématique visant à saboter sa propre capacité à détecter et à résoudre ce genre de crise, à surveiller les dommages causés à l'environnement, à gérer les catastrophes, et même à faire de la recherche fondamentale et à en communiquer les résultats à l'opinion publique. Face à une catastrophe imminente et émergente, le gouvernement opte pour l'aveuglement volontaire. Le crépuscule s'abat sur le paysage canadien – un crépuscule artificiel, fabriqué à Ottawa par des mesures politiques délibérées, et qui renvoie dans l'ombre le siècle des Lumières lui-même.

Rétrospectivement, la décision du gouvernement d'éliminer la version longue du formulaire de recensement, en 2010, est le signe avant-coureur d'une campagne plus vaste à venir. Ce choix arbitraire et contraire à toute logique traduit une volonté délibérée de limiter le volume de données que conserve l'État pour s'acquitter de ses fonctions les plus essentielles et prendre ses décisions les plus fondamentales. Sans formulaire long, toute gouvernance responsable devient quasiment impossible. On prive les autorités sanitaires d'informations cruciales sur les secteurs où les besoins sont les plus criants. Les pénuries de main-d'œuvre sont plus difficiles à déceler, les carences dans la formation des travailleurs qualifiés deviennent moins faciles à cerner, et l'indice des prix à la consommation – donnée cruciale pour fixer une politique monétaire – perd de sa précision. Et ainsi de suite d'un ministère à l'autre, et d'un dossier à l'autre – qu'il s'agisse d'éducation, de transport, de politique économique, de justice, de logement, de retraite –, d'un palier de gouvernement à un autre, d'une juridiction à une autre, etc.

« Aucun pays ne peut prétendre figurer dans la ligue des sociétés civilisées sans une élaboration de politiques intelligente », écrit l'ancien statisticien en chef Munir Sheikh, qui préfère quitter son poste à la tête de Statistique Canada plutôt que de travailler dans le noir. Or, ajoute-t-il, « il n'y a pas d'élaboration de politiques intelligente sans de bonnes données ». Un site Web, Datalibre.ca, a enquêté sur les opposants à l'élimination du formulaire long. Au dernier décompte, le nombre d'opposants à l'annulation de la version longue s'élève à 488 et représente un échantillon plutôt vaste de la société civile canadienne, si l'on en juge par la diversité des organismes le composant : Services de santé de l'Alberta, Fédération canado-arabe, Institut canadien des actuaires, Chambre de commerce de l'Ontario, Centraide, et plusieurs dizaines de municipalités. En mai 2013, date de publication des premiers résultats de la nouvelle Enquête nationale auprès des ménages (ENM), à participation volontaire, la quasi-totalité des rapports sont précédés d'une mention déclinant toute responsabilité quant à la fiabilité des données. « Les estimations de l'ENM, précise l'une des mises en garde les plus frappantes, sont dérivées d'une enquête à participation volontaire et peuvent donc entraîner un biais de non-réponse plus important que celles tirées du formulaire de recensement long utilisé en 2006. »

En réalité, le gouvernement conservateur utilise l'annulation de la version longue du recensement comme banc d'essai en vue de s'attaquer à d'autres sujets nécessitant l'interprétation de données objectives et de preuves scientifiques. Les principes de base de la démarche gouvernementale – prise de décision centralisée, compressions arbitraires, refus obstiné de tenir compte des points de vue opposés – ne vont pas tarder à se manifester bien au-delà de l'atmosphère feutrée des services de collecte de données de Statistique Canada. Sous Stephen Harper, le gouvernement canadien entend parler d'une seule voix et n'écouter que l'écho harmonieux de sa propre sagesse. Afin d'éliminer l'embarras que pourraient susciter les messages discordants ou incohérents, les communications gouvernementales émanant des divers ministères sont de plus en plus centralisées – d'abord au sein du service des relations avec les médias de chaque ministère, puis, de plus en plus, au sein du Cabinet du premier ministre lui-même. Environnement Canada – un des ministères les plus étroitement surveillés sous le gouvernement conservateur – a énoncé son nouveau protocole de communications dans une déclaration en 2008 : « De même que nous avons un seul ministère, nous devrions avoir une seule voix. Les entrevues réservent parfois des surprises aux ministres et aux hauts fonctionnaires. Le service des relations avec les médias collaborera avec le personnel en vue de déterminer le meilleur traitement à donner à l'appel. Ceci devrait inclure que l'on demande à l'expert du programme de fournir des réponses approuvées. »

« Demander à l'expert du programme de fournir des réponses approuvées » est une manière diplomate de dire que ces spécialistes – y compris des scientifiques qui travaillent selon une tradition de questionnement ouvert et de débat professionnel remontant à l'époque de Newton – devront communiquer non pas ce qu'ils ont appris dans l'intérêt général, mais ce que les occupants actuels des bancs de la majorité au Parlement leur demanderont de dire. La science a longtemps été considérée par le gouvernement canadien comme un outil d'une importance cruciale pour éclairer les politiques ; sous Stephen Harper, la relation est inversée. C'est maintenant la politique qui détermine quelles seront les preuves scientifiques utilisées pour informer le gouvernement et quels seront les scientifiques autorisés à informer le public.

Ce protocole à l'énoncé inoffensif a transformé radicalement le journalisme canadien. Longtemps, la poignée de journalistes spécialisés dans les sujets scientifiques a entretenu avec les experts employés par le gouvernement la même relation collégiale qu'avec les chercheurs universitaires. Il suffisait d'un bref appel téléphonique pour obtenir une précision sur l'historique d'un projet ou une citation éclairante. Désormais, les scientifiques gouvernementaux, quel que soit le domaine dans lequel ils exercent, sont tenus de transmettre toute demande de renseignements, fût-ce la plus anodine, à leurs attachés de presse attitrés. Lorsque les sujets sont jugés sensibles ou controversés – c'est-à-dire lorsque la preuve scientifique ne corrobore pas de façon irréfutable la politique du gouvernement –, des représentants du service des relations avec les médias assistent aux entrevues, quand ils n'interdisent pas purement et simplement aux scientifiques gouvernementaux de parler à la presse de leurs travaux. Ainsi, lorsque Kristina Miller, chercheuse à la Station biologique du Pacifique, publie dans la prestigieuse revue internationale *Science* une étude qui jette un éclairage inédit sur l'effondrement des stocks de saumon du Pacifique, ses superviseurs de Pêches et Océans étouffent dans l'œuf un projet de communiqué de presse et refusent de multiples demandes d'entrevues émanant des médias nationaux et internationaux les plus importants. Le point vaut la peine d'être souligné : une scientifique dont les recherches sont financées par les contribuables canadiens se voit interdire d'expliquer à l'opinion publique canadienne ou à quiconque ce qu'elle a appris sur un sujet d'une importance mondiale et d'un intérêt vital pour le Canada.

Plus tard la même année, Mike De Souza, de l'agence Postmedia News, doit se battre pendant des semaines avec la bureaucratie pour obtenir une entrevue téléphonique avec David Tarasick. Ce chercheur d'Environnement Canada vient de publier un rapport où il fait part de sa découverte d'un important trou dans la couche d'ozone au-dessus de l'Arctique canadien. Curieux de savoir pourquoi cet entretien a pris tant de temps à se concrétiser, De Souza s'entend répondre laconiquement, non pas par David Tarasick, mais par un attaché de presse d'Environnement Canada qui assiste à l'entrevue, que cette question est « sans intérêt ». David Tarasick expliquera à Mike De Souza : « Je suis disponible quand le service des relations avec les médias dit que je le suis. »

L'illustration sans doute la plus frappante de la mainmise du gouvernement sur les communications scientifiques nous est fournie par la conférence de l'Année polaire internationale organisée à Montréal en avril 2012. Comme mentionné précédemment, ce colloque a lieu juste avant le début de la fonte de glace de mer la plus importante jamais enregistrée, phénomène que les scientifiques et les journalistes du monde entier ne tardent pas à qualifier de catastrophe. Au cours de cette conférence, il n'y a pas un seul scientifique d'Environnement Canada appelé à faire une présentation ou à participer à une table ronde qui ne soit accompagné d'un conseiller en communication, chargé de surveiller l'exposé et de rediriger les questions vers lui-même. Jamais auparavant des scientifiques du ministère canadien de l'Environnement n'ont été escortés par un « manipulateur d'opinion » lors d'une conférence de l'Année polaire ou de tout autre événement, et aucun scientifique d'un autre pays n'est chaperonné de la sorte. Un porte-parole du ministère déclare à Margaret Munro, de Postmedia, que c'est une « pratique normale » ; une pratique qu'un chercheur d'Environnement Canada, parlant sous couvert de l'anonymat par crainte de représailles, qualifie de « méthode brutale et grossière visant à museler les scientifiques canadiens ».

Une bonne partie de la communauté scientifique internationale condamne ce musellement érigé en système. Il est « temps de libérer les scientifiques », proclame un éditorial paru dans la revue *Nature*, tandis que de nombreuses organisations scientifiques nationales et internationales assistant à une rencontre de l'Association américaine pour l'avancement des sciences à Vancouver, début 2012, adressent une lettre commune au premier ministre pour exiger un « accès sans entraves » aux scientifiques gouvernementaux et à leurs travaux. Au nombre des signataires figure l'Association canadienne des rédacteurs scientifiques, dont les représentants clament haut et fort dans les médias leur mépris pour la nouvelle politique. « La raison d'être de nos impôts n'est pas d'empêcher les scientifiques gouvernementaux de s'adresser à une presse libre ni d'expliquer leurs découvertes aux journalistes en s'assurant qu'elles ne bouleversent pas les priorités et les programmes du gouvernement, me confie le président de l'Association des rédacteurs quelques mois après la rencontre. Tel n'est pas le but que nous poursuivons en finançant ces recherches. Nous finançons la recherche dans le but de découvrir comment la nature fonctionne, comment la réalité fonctionne. Et parce qu'ils sont nos serviteurs – je parle des scientifiques –, ils devraient pouvoir s'adresser librement à la presse pour expliquer ce qu'ils ont découvert grâce à notre argent. »

L'ACFAS ne manque pas non plus d'exprimer par voie de communiqué son inquiétude de voir les chercheurs du gouvernement fédéral ainsi bâillonnés.

Tout ce bruit n'est qu'un simple prélude à C-38. Le projet de loi budgétaire omnibus devenu loi en juin 2012 apparaît drapé dans le langage assourdissant des compressions budgétaires et des annulations de programmes, mais ses visées révolutionnaires transparaissent clairement dans les petits détails disséminés tout au long des 400 pages et quelques. Ce document doit être interprété avant tout comme un rejet catégorique de la primauté de la science fondamentale dans les affaires gouvernementales et une offensive déclarée contre la recherche de données dans les sciences de l'environnement. Avec C-38, la politique canadienne entre dans une nouvelle ère.

Certes, les années précédentes ont été marquées par d'autres rejets cavaliers de la preuve et de la raison. En 2010, par exemple, le gouvernement conservateur minoritaire a introduit une politique de recherche sur le sida qui réduisait à la portion congrue les fonds affectés aux traitements ; en outre, il a choisi de ne pas signer la Déclaration de Vienne de l'ONU, qui appelait à adopter des « stratégies fondées sur des données probantes » dans l'élaboration des politiques antidrogue visant à enrayer la propagation de la maladie. Directeur du Centre d'excellence sur le VIH/sida de la Colombie-Britannique, le Dr Julio Montaner a qualifié la politique du gouvernement fédéral en matière de lutte contre le sida de « négligence criminelle ». Le projet de loi radical sur la criminalité, adopté cette année-là, faisait fi de toutes les données existantes sur les derniers taux de criminalité au Canada, balayait les inquiétudes de nombreux spécialistes de l'application des lois et d'organismes professionnels, et ne tenait aucun compte des données démontrant qu'il existait des stratégies de réduction de la criminalité plus efficaces. La liberté prise avec les faits dans l'écriture du projet de loi avait même donné lieu au spectacle singulier du président du Conseil du Trésor, Stockwell Day, affirmant qu'il y avait eu une recrudescence phénoménale de la « criminalité non déclarée ».

Mais le projet de loi C-38 est un monstre beaucoup plus ambitieux que ces politiques de l'ère minoritaire. C'est un rejet unilatéral de plus d'un siècle de politiques environnementales élaborées à partir des meilleures preuves existantes. C'est le premier assaut frontal dans la guerre que livre le gouvernement contre la science elle-même.

Non que la science soit l'unique cible de C-38. Sous

prétexte de restreindre les dépenses dans une conjoncture délicate, le gouvernement étend la portée de son projet de loi fourre-tout bien au-delà de la recherche fondamentale. Il sabre dans le financement de toute une gamme d'initiatives autochtones, ampute les budgets affectés aux soins médicaux de nombreux groupes amérindiens, supprime les fonds octroyés à l'Institut de la gouvernance et à l'Institut de la statistique des Premières Nations. Le projet de loi opère une ponction si radicale dans le budget de Parcs Canada qu'au cours de l'hiver 2013 nombre de parcs nationaux doivent fermer leur centre d'accueil et faire appel à des bénévoles pour déneiger les points d'accès et les sentiers récréatifs. L'Agence canadienne d'inspection des aliments, Agriculture Canada et le ministère canadien des Affaires étrangères, du Commerce et du Développement voient tous leurs effectifs fondre de manière substantielle. Mais les compressions les plus draconiennes visent la science et, tout particulièrement, les programmes et ministères qui financent la recherche fondamentale, la collecte de données, la surveillance sur le terrain ainsi que des outils de télécommunication mis en place depuis des années par les précédents gouvernements pour assurer une saine gestion de l'environnement. En outre, ces coupes s'ajoutent à une vaste panoplie de réductions et de suppressions opérées précédemment sous le mandat de Harper, ce qui démontre une tendance marquée à mépriser le rôle de gestionnaire responsable que doit jouer le gouvernement.

Évaluant les répercussions de C-38 quelques mois après son adoption, en sa qualité de chien de garde de la politique environnementale, le commissaire fédéral à l'environnement Scott Vaughan déclare d'emblée à Postmedia

News : « Ce n'est pas du rafistolage. C'est un changement de donne complet. »

Avant même l'adoption du projet de loi C-38, le gouvernement conservateur avait supprimé le poste de conseiller national des sciences et entrepris de remanier de fond en comble le Conseil national de recherches du Canada (CNRC), restructurant des départements et éliminant des volets de financement pour en faire un service de « conciergerie » plus efficace, à la disposition du monde des affaires et de l'industrie. (*Conciergerie* est le terme employé par Gary Goodyear, le ministre d'État chargé des Sciences et de la Technologie. Gary Goodyear s'était distingué peu après sa nomination en refusant de dire au *Globe and Mail* s'il reconnaissait la validité scientifique de l'évolution.) Le recentrage des priorités et la réduction du financement accordé au Conseil de recherches en sciences naturelles et en génie (CRSNG), le principal organisme fédéral subventionnant la recherche fondamentale au sein des universités publiques canadiennes, avaient également provoqué un émoi considérable parmi les scientifiques. Avant 2012, rares étaient les programmes et départements de recherche gouvernementaux, dans quelque domaine scientifique que ce soit, qui n'avaient pas été touchés par les visées agressives du gouvernement conservateur. Mais tout ceci n'était qu'un simple hors-d'œuvre annonçant le charcutage de C-38.

Le projet de loi C-38 réécrit fondamentalement la Loi canadienne sur les pêches en réduisant la portée de son mandat, qui ne vise plus l'habitat du poisson dans son intégralité, mais seulement celui des populations de poissons qui présentent de la « valeur » ; autrement dit, il exclut plus de la moitié des espèces de poissons d'eau douce du Canada et 80 % des espèces non protégées bien que menacées d'extinction. Ce projet de loi mammouth abroge la Loi canadienne sur l'évaluation environnementale et modifie la Loi sur les espèces en péril ainsi que la Loi sur la protection des eaux navigables, dont la dernière mouture fera l'objet quelques mois plus tard d'une modification supplémentaire à la faveur du projet de loi C-45 – le deuxième projet de loi budgétaire omnibus de 2012. (Avant le dépôt de C-45, la Loi sur les eaux navigables prévoyait une gestion responsable de l'environnement pour près de trois millions de plans d'eau au Canada ; après son adoption, seuls 162 plans d'eau seront protégés.)

La liste des compressions et fermetures décrétées par le projet de loi C-38 est interminable. Outre l'abandon du programme de la Région des lacs expérimentaux, C-38 taille allègrement dans la Table ronde nationale sur l'environnement et l'économie (TRNEE) et vide de sa substance la Fondation canadienne pour les sciences du climat et de l'atmosphère (FCSCA). La réduction des fonds accordés à la FCSCA entraîne la fermeture du Laboratoire de recherche atmosphérique en environnement polaire (en anglais : le Polar Environment Atmospheric Research Laboratory, ou PEARL), l'unique centre de recherche et de collecte de données du Canada dans le Haut-Arctique. Le massacre à la tronçonneuse et au bistouri aboutit à la fermeture des stations de lutte contre les déversements pétroliers au nord de la Colombie-Britannique, à l'amputation du ministère des Pêches et des Océans d'une grande partie de ses effectifs chargés de la surveillance des installations aux quatre coins du pays, et à l'annulation pure et simple de 492 études d'impact sur l'environnement commandées pour une série de projets industriels d'un bout à l'autre du Canada. Un des rares nouveaux investissements prévus par le projet de loi sur le front de l'environnement est l'octroi d'un crédit de 8 millions de dollars à l'Agence du revenu du Canada pour lui permettre d'augmenter le nombre de ses vérifications ciblant les ONG environnementales. Apparemment, le but de ces contrôles est de démasquer ce que le ministre des Ressources naturelles Joe Oliver qualifie de tendance généralisée des groupes écologistes à outrepasser la limite des dépenses consacrées à des activités politiques, en violation de leur statut d'organismes de bienfaisance. (Un an, 5 millions de dollars et près de 900 contrôles après l'entrée en application de ce programme, l'Agence du revenu du Canada avait épinglé une seule ONG : l'Association des médecins pour la survie mondiale, un groupe militant en faveur du désarmement nucléaire.)

Les détracteurs du projet de loi C-38 multiplient les protestations et les condamnations dans tout le pays. Une lettre ouverte au gouvernement, signée par quatre anciens ministres de Pêches et Océans (dont deux étaient affiliés au Parti progressiste conservateur), presse celui-ci de revenir sur sa refonte de la Loi sur les pêches. Partout au Canada, des scientifiques publient des lettres et profitent des tribunes libres pour protester contre l'avalanche de coupes dans la recherche scientifique, la surveillance de l'environnement et les programmes des Premières Nations. Au parlement, Elizabeth May, chef du Parti vert, soumet plus de 300 amendements au projet de loi, contraignant les députés à un vote marathon de 24 heures. Mais personne n'est dupe. Ce gouvernement n'est pas de ceux qui reviennent sur leurs décisions, surtout si elles visent à écarter la science au nom d'objectifs politiques à atteindre. « Ce que je puis dire de plus aimable, déclarera David Schindler, professeur à l'Université de l'Alberta, à Postmedia News, c'est que ces gens-là n'en savent pas assez sur la science pour mesurer la valeur de ce qu'ils coupent. »

Les multiples compressions et suppressions incluses dans le projet de loi C-38 ne sont fondées ni sur un examen exhaustif des travaux subventionnés ni sur l'intérêt que ces travaux pourraient présenter (ou non) pour le public canadien. Le contenu du projet de loi est en grande partie l'œuvre du « Groupe des neuf », une poignée de ministres du Cabinet et de fidèles lieutenants des conservateurs qui se sont rencontrés en privé deux soirs par semaine au cours des trois derniers mois de 2011. Avant d'embrasser la carrière politique, les coprésidents du groupe exerçaient respectivement la profession d'avocat et celle de fermier. Parmi les autres membres figurent trois juristes, un cadre d'une banque d'investissement, un pilote de chasseur-bombardier, un consultant en gestion et administrateur d'école, et, enfin, un employé de longue date du Parti conservateur. (Pour être juste, mentionnons qu'une des avocates du groupe – la ministre du Travail Lisa Raitt – détient une maîtrise en toxicologie biochimique de l'environnement.)

« Ce type de révision ne répond pas seulement au besoin de faire des économies, même si ce n'est pas négligeable, explique Tony Clement à une foule partisane réunie au Centre Manning pour le renforcement de la démocratie, à Calgary, peu avant l'adoption du projet de loi. C'est aussi un outil qui peut nous aider à moderniser le gouvernement… Nous devons inculquer la notion d'utilisation efficiente et encadrée de l'argent des contribuables, au quotidien et à tous les niveaux – depuis le politicien jusqu'au proverbial préposé au courrier, à tous les niveaux de la bureaucratie. » Au cours de son processus de révision, le Groupe des neuf ne consulte ni préposés au courrier ni bureaucrates – ni scientifiques, d'ailleurs. Et, quelle que soit la forme que prend ce processus, la conclusion qui en ressort est la suivante : pour moderniser le gouvernement, il faut nécessairement réduire le recours à la preuve scientifique.

Depuis que Stephen Harper a accédé au pouvoir, les analystes se perdent en conjectures sur son « plan secret ». Mais ses arrière-pensées les plus radicales crèvent les yeux et trouvent leur expression la plus éclatante dans le projet de loi C-38. Les innombrables compressions budgétaires et fermetures de programmes, combinées aux autres réductions et congédiements qui ont jalonné le parcours de Harper depuis qu'il a prêté le serment de premier ministre pour la première fois, en 2006, dessinent un fil conducteur évident sur tout l'appareil gouvernemental canadien.

« L'idée est simple et sans ambiguïté : faire du Canada le pays le plus attrayant du monde pour l'investissement dans l'exploitation des ressources naturelles, et renforcer notre protection de l'environnement, qui est aujourd'hui de classe mondiale, à l'intention des générations futures de Canadiens. » C'est ainsi que Chris Plunkett, le porte-parole du gouvernement aux États-Unis, explique l'objectif du projet de loi C-38 au *Washington Post.* L'ordre des deux priorités est révélateur, surtout après le dépôt d'un budget qui prévoit de s'attaquer à presque toutes les facettes du régime de protection de l'environnement dont se targue Chris Plunkett et qui se heurte à une opposition unanime – depuis d'anciens ministres de Pêches et Océans jusqu'aux centaines de scientifiques et de fonctionnaires qui ont pour unique tâche d'administrer et de renforcer le programme de gestion responsable du Canada. La première priorité de Chris Plunkett – accélérer l'exploitation des ressources – est l'objectif réel de la politique poursuivie. La seconde – penser aux générations futures – feint de s'inscrire dans une tradition de gestion responsable de l'environnement dont le Canada s'est longtemps enorgueilli. Si tant est que Stephen Harper nourrit des arrière-pensées, elles se cachent uniquement dans ces clins d'œil rhétoriques à des priorités que le Canada a cessé d'honorer.

Quel est donc le plan Harper ? Avant tout, le premier ministre a cherché systématiquement à réduire le rôle de l'État dans la gestion responsable de l'environnement, et ce, de trois façons : 1) en réduisant la capacité du gouvernement à recueillir des données de base sur le statut et l'état de santé de l'environnement canadien, particulièrement dans les régions où l'on espère une exploitation lucrative des ressources ; 2) en dégraissant ou en éliminant les bureaux et organismes – organismes gouvernementaux et ONG – qui surveillent et analysent ces données et qui interviennent en cas d'urgence ; et 3) en mettant la main sur les canaux de communication qu'empruntent tous les organismes précités pour faire parvenir leurs conclusions à l'opinion publique canadienne. L'objectif ultime est tout aussi clair : réduire la capacité du gouvernement à percevoir les répercussions de ses politiques, surtout celles qui ont trait à l'extraction des ressources – et à réagir en conséquence. Il y a une sorte de génie du cynisme et de l'impudence dans la manière si peu subtile dont le gouvernement dissimule ses visées : souvent, la déclaration vantant le nouvel objectif montre du doigt l'objectif à écarter, implorant presque l'auditoire de remarquer les incohérences. Si ce gouvernement s'efforçait réellement de déguiser ses intentions, on ne le verrait sûrement pas venir ainsi avec ses gros sabots.

À en juger par les implications du projet de loi C-38 et de sa cohorte de politiques pour les sciences de l'environnement, les objectifs réels sont évidents. Des lacs d'eau douce de la RLE au Haut-Arctique surveillé par le PEARL, des eaux côtières où Pêches et Océans collecte des données aux ruisseaux et rivières jadis protégés par la Loi sur les eaux navigables, le plan Harper a systématiquement réduit la capacité du gouvernement à analyser et à évaluer la santé du monde naturel. (La suppression de la version longue du recensement a eu des répercussions analogues sur les sciences sociales.) En éliminant les rapports enquiquinants d'organismes comme le FCSCA et le PEARL (qui ont alerté l'État à maintes reprises par rapport à son incapacité à relever adéquatement le défi des changements climatiques), en fermant des bureaux comme ceux qui abritaient le Programme de surveillance des contaminants marins de Pêches et Océans et le Programme des urgences environnementales d'Environnement Canada, en diabolisant les groupes écologistes et en gelant leur financement tout en les soumettant à des contrôles fiscaux vexatoires, le plan Harper a réduit radicalement la capacité de la nation à réagir en cas de crise. De plus, en muselant les scientifiques et en obligeant tous les employés gouvernementaux à rediriger les demandes d'information vers des conseillers en communication armés d'un argumentaire officiel, le plan Harper a rendu beaucoup plus compliquée la tâche des chercheurs qui veulent informer les Canadiens sur ce qui se passe dans les écosystèmes à l'intérieur desquels ils vivent et respirent. Ne faites pas de science, n'écoutez pas de science, ne parlez pas de science : tel est le message que Harper veut faire pénétrer dans les esprits. Et si ce leitmotiv saute davantage aux yeux dans les sciences de l'environnement, c'est tout simplement parce que c'est le domaine le plus susceptible de produire des données démontrant que l'objectif ultime du gouvernement – affranchir les industries d'extraction des ressources naturelles nationales de toute supervision ou réglementation au nom d'une expansion accélérée – est contraire au bon sens, irresponsable et destructeur.

Prenant la parole à l'Université Carleton, à Ottawa, en septembre 2012, le spécialiste des sondages Allan Gregg récapitule en ces termes le plan Harper à l'œuvre derrière le projet de loi C-38 : « Il ne s'agit pas d'une rationalisation des effectifs pratiquée au hasard, mais d'une tentative délibérée d'éliminer certaines activités que l'on considérait auparavant comme un élément légitime du processus de prise de décision gouvernemental ; autrement dit, de cesser de recourir à la recherche, à la science et aux données probantes comme fondements des choix politiques. Cela revient aussi à une tentative d'élimination de toute personne susceptible de se servir de la science, des faits et des preuves pour contester des politiques gouvernementales. »

Allan Gregg note en outre que les répercussions de ce bouleversement se font sentir bien au-delà d'un exercice financier ou d'un cycle électoral donnés. « L'avancement du progrès social passe d'abord et avant tout par une politique publique éclairée, qui mobilise nos ressources collectives au service d'un bien commun plus vaste. C'est toujours la raison et la preuve scientifique qui ont distingué une politique efficace d'une politique inefficace. On s'est aperçu qu'il ne peut y avoir de solutions efficaces sans une compréhension exacte des problèmes que ces stratégies sont censées résoudre. Les preuves, les faits, la raison sont, par conséquent, la condition *sine qua non* non seulement d'une bonne politique, mais d'un bon gouvernement… Il semble que nous assistions, au sein de notre gouvernement, à un déclin de l'utilisation des preuves et des faits comme fondements de sa politique, et à une montée concomitante du dogmatisme, de la lubie et de l'opportunisme politique. »

Allan Gregg publiera ensuite son allocution sur son blogue, sous un titre provocateur, orwellien – « 1984 en 2012 » –, touchant rapidement un vaste public d'internautes. Quelques semaines avant cette allocution, dans la foulée de l'adoption de C-38 et de la Marche funèbre pour la preuve, les Canadiens semblent enfin percevoir clairement le plan Harper pour ce qu'il est : une guerre bureaucratique contre la science et la raison – les fondements mêmes de la pensée des Lumières. Comme le notera Allan Gregg dans un article complémentaire paru dans le *Toronto Star,* la trahison de la primauté de la science par le gouvernement conservateur a ramené les paramètres du débat politique canadien droite/gauche et liberté/réglementation des marchés aux premiers balbutiements du projet démocratique global, au XVIIIe siècle, lorsque les « penseurs des

Lumières ont commencé à exalter la raison comme pilier de la liberté et du progrès ». Plus de deux siècles plus tard, le plan Harper ressuscite le conflit entre la raison objective et la prérogative royale comme arbitre ultime de l'intérêt supérieur.

De tout temps, les orientations politiques et leurs objectifs ont suscité des débats houleux au Canada. Après tout, la démocratie se nourrit de débats éclairés. Mais le projet de loi C-38, le projet de loi sur la criminalité bafouant les faits, l'abandon de la version longue du recensement sont autant de mesures radicales prises en dehors des paramètres acceptés. Pour reprendre une célèbre citation qu'on attribue généralement à l'ancien sénateur américain Daniel Patrick Moynihan : « Vous avez droit à votre propre opinion, mais vous n'avez pas droit à vos propres faits. » Cette vérité est comprise dans tout débat d'école secondaire, dans tout mémoire de maîtrise et dans tout rapport gouvernemental. Et elle était comprise au Parlement du Canada… jusqu'à l'avènement du plan Harper.

Le fait qu'une des tirades les plus cinglantes contre les visées de Harper vienne d'un spécialiste des sondages qui a bâti sa carrière au sein du Parti progressiste-conservateur, que l'opposition la plus virulente à C-38 émane d'anciens ministres progressistes-conservateurs de Pêches et Océans, et que l'élément le plus frappant du théâtre politique, depuis l'adoption du projet de loi C-38, soit une marche de scientifiques en blouses blanches – tout cela est symptomatique. Certes, les protestations sur la Colline du Parlement font partie du paysage de la capitale au même titre que l'éclosion des tulipes au printemps, et les ministres destitués montrent souvent du doigt ce qu'ils perçoivent comme des échecs de la part de leurs successeurs. Bien sûr, les spécialistes des sondages dont le candidat vedette (Kim Campbell, dans le cas d'Allan Gregg) encaisse un dur revers s'en prennent parfois amèrement à ceux qui récupèrent les morceaux et en font quelque chose de mieux. Mais la vague actuelle de critiques échappe à tout esprit de parti. Elle n'a absolument rien à voir avec la politique, du moins telle qu'on la comprend en dehors du premier ministre et du Groupe des neuf. Il ne s'agit pas d'une discussion sur le point de savoir qui l'emporte à la Chambre des communes, mais plutôt d'une affirmation du caractère sacro-saint des fondements sur lesquels cette Chambre tout entière est bâtie. Il s'agit de la défense de principes fondamentaux – les principes de la science, de la raison, d'un bon gouvernement et de la politique éclairée sur lesquels il repose. Ces critiques sont des cris d'alarme d'initiés qui ont vu soudain un indicateur d'alerte bondir dans la zone rouge, où on ne l'avait jamais vu aller auparavant.

L'aveuglement volontaire imposé au gouvernement canadien par le projet de loi C-38 aura des conséquences profondes et durables sur la collecte de données et l'élaboration de politiques fondées sur la preuve. Prenons un seul exemple dans l'interminable liste de compressions décrétées par le projet de loi : la décision de ne pas renouveler le financement accordé à la FCSCA. Bien que, techniquement, la Fondation canadienne pour les sciences du climat et de l'atmosphère existe toujours (sous la nouvelle appellation de Forum canadien du climat), elle ne peut plus s'acquitter de sa fonction première : distribuer des subventions aux climatologues. Un des bénéficiaires les plus importants de ces subsides était l'équipe de chercheurs du PEARL, l'unique station de recherche canadienne du Haut-Arctique.

Le PEARL est une installation modeste, un simple cube rouge posé sur le pergélisol désolé de l'île d'Ellesmere. Situé bien au-dessus du cercle arctique, juste au nord du quatre-vingtième parallèle, à seulement 1 100 kilomètres du pôle Nord, il abrite quatre laboratoires, et son toit est hérissé d'instruments de mesure des conditions atmosphériques. Inauguré en 1992, il fonctionne à longueur d'année depuis 2005. Cette station représente l'unique fenêtre canadienne sur la météo et le climat pendant les quatre mois d'obscurité ininterrompue que l'on connaît sous le nom de « nuit arctique ». L'univers dans lequel elle opère est si fragile et si paisible, et l'impact du plus léger changement est si profond que les empreintes de pneus des engins de chantier qui ont servi à construire cette structure sont encore visibles sur le sol environnant.

Ce centre de recherche unique en son genre, qui produit des dizaines de documents scientifiques d'un intérêt mondial et a formé plus de cinquante chercheurs aux sciences de l'atmosphère au cours de ses six premières années d'existence, recevait un financement de 1,5 million de dollars de la FCSCA. Après l'adoption du projet de loi C-38, les fonds se sont évanouis, et les responsables du centre ont dû se débrouiller pour trouver d'autres sources de financement afin de simplement garder le laboratoire ouvert pendant la belle saison. La petite lueur qui scintillait dans la nuit arctique semblait s'être éteinte indéfiniment.

Malgré la menace croissante qui pesait sur les subventions aux sciences de l'environnement depuis que Harper avait pris le pouvoir, l'imminence de la fermeture du PEARL a pris par surprise son principal chercheur, James Drummond, de l'Université Dalhousie. N'était-ce pas ce même gouvernement qui avait fait de la « souveraineté dans l'Arctique » une priorité ? N'était-il pas utile pour la poursuite de cet objectif de disposer d'informations sur la chimie de l'atmosphère, sur le climat et sur la couche d'ozone dans l'Arctique ? « La souveraineté n'est pas une simple question de présence militaire, s'insurge James Drummond. Qui dit souveraineté dit connaissance de la région, compréhension de la région, aptitude à représenter efficacement cette région aux yeux du reste du monde. Et nous sommes en train de faillir sur tous ces plans. » Il s'étonne d'autant plus de l'indifférence à l'égard des travaux du PEARL que le gouvernement se déclare intéressé par l'exploration pétrolière dans l'Arctique. « Si nous voulons extraire des ressources de l'Arctique, ce qui semble être le cas d'après ce qu'on nous a dit, nous devrions vraiment savoir dans le détail ce qui s'y passe, parce que l'Arctique est une région extrêmement fragile. »

La survie du PEARL n'est pas une question d'argent. Après tout, le gouvernement n'a eu aucune difficulté à trouver 270 000 dollars pour financer une seule mission de cinq semaines dans le but de retrouver les restes de John Franklin, disparu lors d'une expédition dans l'Arctique, et de recueillir une grande quantité de données acoustiques sur les fonds marins de l'océan Arctique. En outre, quelques mois après avoir sabré les crédits alloués au FCSCA, le premier ministre Harper s'est rendu à Cambridge Bay, à 1 800 kilomètres au sud du PEARL, pour annoncer l'octroi d'une enveloppe de 200 millions de dollars à la nouvelle Station de recherche canadienne de l'Extrême-Arctique (SRCEA), qui doit ouvrir ses portes en 2017. « Le bon endroit pour mener des recherches sur le Nord est dans le Nord, explique Harper à un reporter de Radio-Canada à Cambridge Bay. La Station de recherche canadienne de l'Extrême-Arctique renforcera par ailleurs la visibilité du Canada dans l'Arctique. En ce sens, science et souveraineté sont indissociables. » Sur le site officiel de la SRCEA, on peut lire, en tête de liste des priorités : « Mise en valeur des ressources ». Vient ensuite : « Exercice de la souveraineté » et, en troisième : « Gérance environnementale et changement climatique ».

James Drummond semble sidéré qu'un gouvernement qui attache une telle importance à l'exploration pétrolière dans l'Arctique ferme une installation qui représente la seule fenêtre sur la région et qu'il investisse tant d'argent dans un nouveau centre situé à des centaines de kilomètres au sud des gisements de pétrole et de gaz les plus riches de l'Arctique. Sa stupéfaction est compréhensible : il pense en scientifique, cherchant une sorte de logique et de raison qui n'est plus prônée au sein du gouvernement de Stephen Harper. La fermeture du PEARL, les généreux subsides versés à la SRCEA et la chasse au fantôme de Franklin obéissent à une autre logique : si vous projetez d'entreprendre une exploration à grande échelle des ressources du Haut-Arctique, mais ne voulez pas savoir si l'exploitation de ces ressources est bien sans danger et ne porte pas atteinte à l'environnement, alors le plan Harper est parfaitement sensé. Et la seule explication logique aux dépenses extravagantes consacrées à la recherche « donquichottesque » des restes de John Franklin est que l'objectif premier de ce projet n'était pas de retrouver un cadavre de 150 ans, mais de recueillir des données susceptibles d'étayer la priorité absolue de la SRCEA : la mise en valeur des ressources. Encore une fois, vu à travers le prisme du plan Harper, l'inexplicable semble presque évident. Les travaux de laboratoire ésotériques menés sur l'île d'Ellesmere ne peuvent nous dire rien d'autre que ceci : l'exploration dans le Haut-Arctique est extrêmement dangereuse ; le risque de déversements pétroliers catastrophiques y est plus élevé que n'importe où ailleurs sur la planète ; et l'exploitation de la ressource aurait pour conséquence ultime d'accélérer la catastrophe liée aux changements climatiques, une catastrophe déjà bien en marche dans le Grand Nord. Mais, fort d'inoffensives données acoustiques et d'une installation à la pointe de la technologie située trop au sud pour offrir le moindre indice sur les conditions climatiques qui règnent à proximité des plus gros gisements de l'Arctique, le gouvernement est bien décidé à foncer tête baissée et les yeux bandés dans l'abîme gelé.

En mai 2013 – quasiment sans préavis ni explication –, le gouvernement fédéral a rétabli le financement du PEARL. L'avenir de la station était resté dans les limbes pendant plus d'un an. Elle avait continué à fonctionner, mais seulement à temps partiel, créant de dangereuses lacunes dans l'enregistrement des données. C'est alors que, comme par hasard, avec un synchronisme digne de l'émissaire d'un suzerain féodal, le ministre d'État chargé des Sciences et de la Technologie, Gary Goodyear, a annoncé qu'on avait trouvé suffisamment de fonds pour couvrir cinq ans de fonctionnement dans un programme nouvellement créé dans le but de reprendre certains des rôles anciennement dévolus à la FCSCA. Le seul indice permettant d'expliquer ce regain d'intérêt pour le PEARL est que l'annonce est intervenue au lendemain d'un discours prononcé par Stephen Harper devant le Conseil des relations étrangères, à New York, au cours duquel il a tenté de convaincre des membres qui ont une influence sur l'élaboration des politiques américaines que son gouvernement est un gestionnaire responsable et dévoué de l'environnement. Le gouvernement Obama était alors en plein débat sur la question de savoir s'il fallait approuver ou non la construction de l'oléoduc Keystone XL. Le laboratoire PEARL ne présentait évidemment pas grand intérêt en soi pour Harper, mais c'était un argument utile pour habiller une campagne de relations publiques.

Il y a un côté absurde dans le plan Harper, quelque chose qui frise l'autoparodie dans ses contradictions criantes. On croirait presque à un effort délibéré pour dissimuler la véritable action du gouvernement sous un déversement d'outrances et d'inepties. En août 2011, par exemple, le ministère de la Défense nationale (MDN) a annoncé la mise à l'étude d'une « motoneige furtive » qui permettrait de mener en secret des opérations militaires dans le Haut-Arctique. Un crédit princier de 500 000 dollars – plus du tiers du budget de fonctionnement annuel du PEARL – était affecté à la conception d'un prototype. À peine quelques semaines plus tard, le Groupe des neuf commençait son entreprise de réduction des coûts, dans le but, comme l'expliquait Tony Clement, d'« inculquer la notion d'utilisation efficiente et encadrée de l'argent des contribuables, au quotidien et à tous les niveaux – depuis le politicien jusqu'au proverbial préposé au courrier, à tous les niveaux de la bureaucratie ». Sauf à celui du MDN, bien entendu.

Mais même les aberrations du plan Harper dénotent l'existence d'une crise plus profonde dans la gouvernance et dans le rôle de guide que doit y jouer la science. Voici une anecdote révélatrice. En mars 2012, Tom Spears, de l'*Ottawa Citizen*, adresse une banale demande d'entretien au Conseil national de recherches du Canada (CNRC). Le journaliste a entendu parler d'un projet de recherche conjoint du CNRC et de la NASA sur un thème qui représente la quintessence du Canada : la neige. Plus précisément, les chercheurs tentent d'élucider les facteurs qui déterminent la densité et l'abondance d'une chute de neige donnée. Il se trouve que, si l'on en sait beaucoup sur les chutes de neige à l'échelle macroscopique, les variations microscopiques restent très mystérieuses. Tom Spears espère donc pouvoir interroger quelques scientifiques collaborant au projet pour obtenir un peu plus de précisions. Il propose d'écrire un article sans fioritures, du style « tranche de vie », où il raconte le travail sur le terrain qu'accomplissent, dans des conditions difficiles et souvent dans le plus grand anonymat, quelques-uns des 23 000 scientifiques employés par le gouvernement fédéral. Lorsque la proposition de Tom Spears parvient au CNRC, le service des relations avec les médias la qualifie de « reportage constructif et instructif ».

L'équipe de la NASA communique immédiatement avec le journaliste, qui, en un seul et bref coup de téléphone, apprend tout ce qu'il a besoin de savoir sur son rôle dans le projet. Mais le reportage ne serait pas complet sans un angle canadien. Spears attend donc qu'un scientifique du

CNRC entre en contact avec lui pour boucler son article. Mais voilà : pendant une journée entière, sa demande, expédiée par courriel au CNRC, va voguer de boîte de réception en boîte de réception, les attachés de presse s'arrachant les cheveux sur la manière de formuler l'historique du projet, sur le contenu « approprié » des réponses, et se demandant même si un tel entretien s'impose. Le responsable le plus haut placé dans la chaîne des onze destinataires par lesquels passe la demande décide finalement que non. Le *Citizen* publie son article sans un seul commentaire du CNRC ou de tout autre fonctionnaire du gouvernement canadien, se bornant à mentionner au passage la participation du CNRC au projet.

Des mois plus tard, en réponse à une demande d'accès à l'information du *Citizen*, Spears recevra une tartine de cinquante-deux pages décrivant dans un jargon bureaucratique opaque la participation du CNRC.

La veille de la parution de l'article, avant dix heures du matin, Spears avait appelé le CNRC. L'équipe chargée des communications du centre avait rédigé un courriel type, qui avait rebondi de boîte en boîte pendant plusieurs heures. À un moment donné, en début d'après-midi, il avait été décidé qu'un entretien ne se justifiait pas, puis une bonne partie du texte, si incolore qu'elle aurait pu figurer dans une brochure d'entreprise vantant le projet, avait été acheminée à sept boîtes électroniques différentes pour s'assurer de la conformité du langage employé. Peu après seize heures, alors que Spears avait déjà envoyé son reportage, le responsable marketing du CNRC s'était aperçu que la note d'information omettait de préciser que le volet canadien du projet était financé par l'Agence spatiale canadienne. À ce stade, on sent l'urgence monter dans le ton des messages. Les dirigeants du CNRC avaient non seulement raté une occasion de mettre en valeur des scientifiques canadiens par le biais d'un article « constructif et instructif », mais ils n'avaient même pas été capables de créditer correctement leurs partenaires.

Comment ne pas relever l'absurdité de la situation dans ce « blizzard bureaucratique », pour reprendre l'expression qui a fait les manchettes du *Citizen* ? Le gouvernement du Canada – le Grand Nord blanc – n'était pas disposé à discuter de ce qu'il savait sur la neige. Le sujet de l'étude était à peu près aussi controversé qu'un bulletin météo, et la demande de Spears créait infiniment moins de friction qu'une banale mêlée de journalistes sur la Colline du Parlement. Alors, pourquoi toutes ces tergiversations ? Pourquoi ce texte prémâché ? Pourquoi cette utilisation du « sans commentaire » comme réglage par défaut ? Là encore, ce lamentable faux pas ne se comprend que si on l'examine à travers le prisme du plan Harper : *la science elle-même* pose problème dans l'Ottawa de Stephen Harper. Tout comme les relationnistes d'une compagnie pétrolière habituée aux marées noires, les attachés de presse du gouvernement n'ont plus confiance en la capacité des scientifiques à éviter les controverses. Pourquoi ? Parce que le programme gouvernemental repose tout entier sur un dédain primaire à l'égard de certains types de sciences – en particulier les sciences de l'environnement. La neige est un phénomène météorologique, un élément du climat ; débattre des modèles de chutes de neige pourrait amener à discuter des changements qu'on observe dans ces modèles, du rôle que jouent certaines formes d'activité industrielle dans ces changements. Tout le domaine des sciences de l'environnement est suspect. Mieux vaut donc ne rien dire du tout.

« C'est le genre de raté qui se produit quand on transforme un processus d'information en quelque chose qui doit passer par la moulinette bureaucratique », commente Stephen Strauss, un vieux routier du journalisme scientifique. « Vous vous souvenez, me dit-il, des usines sataniques de l'ère de Dickens ? Eh bien, ce que vous avez sous les yeux, ce sont les usines sataniques de l'ère de l'information de Stephen Harper. »

Tout cela pourrait prêter à rire, mais les conséquences ne sont pas anodines. Le blizzard bureaucratique qui a paralysé le service des communications du CNRC est un signal de détresse profonde émis par un gouvernement dont le fonctionnement au jour le jour est pétri de méfiance à l'égard des faits fondamentaux. Même les tâches gouvernementales les plus terre-à-terre – du moins au sein des directions qui abordent les conditions du monde naturel – relèvent désormais d'une démarche condescendante, dirigiste et autoritaire, où la vérité d'une information pèse nettement moins que ses ramifications politiques. À l'intérieur de la bulle d'information d'Ottawa, comme dans une boule neigeuse, les flocons tombent seulement par la grâce du premier ministre. Sans cette main qui les guide, aucun ne se sent suffisamment en sécurité pour dire le temps qu'il fait.

Il ne faudrait pas sous-estimer l'influence du plan Harper sur les activités élémentaires du gouvernement canadien. Elle va bien au-delà de l'excès de zèle dans l'allégeance au message. Le plan a créé un gouvernement qui refusera d'écouter les faits embarrassants ou les experts dissidents sur des questions qui touchent à des politiques vitales. Il a entravé la capacité de certains ministères cruciaux à s'acquitter de leurs mandats et à faire leur travail. Il a aveuglé les Canadiens au point qu'ils ne savent plus qui ils sont, où ils vivent, ce que fait leur gouvernement, ni pourquoi tout cela est grave.

Voici deux exemples pour illustrer ce point. Quand le gouvernement conservateur a cessé de financer les soins de santé de base aux demandeurs d'asile, les huit principaux groupements professionnels nationaux du secteur de la santé – représentant collectivement, depuis l'Association médicale canadienne jusqu'à l'Association dentaire canadienne, la quasi-totalité du réseau de soins de santé du Canada – ont signé une lettre exhortant le gouvernement à rétablir cette aide. La demande émanant de ces experts dissidents s'est heurtée à un tel mépris que des médecins ont commencé, de leur propre initiative, à se présenter aux conférences de presse gouvernementales revêtus de leur blouse blanche pour prendre la parole – phénomène aussi inouï que la marche des blouses de labo sur la Colline du Parlement. Quand la Commission d'examen conjoint chargée d'évaluer le projet Enbridge Northern Gateway, portant sur la construction d'un oléoduc à travers le nord de la Colombie-Britannique, a demandé aux fonctionnaires du ministère canadien des Pêches et des Océans (MPO) de lui faire parvenir leur étude d'impact sur l'environnement, le MPO a fait savoir que ces études n'étaient pas encore terminées et qu'une pénurie de ressources les empêchait de mener à bien ce travail avant que la commission ne rende sa décision. Cette dernière devrait donc statuer les yeux à demi bandés sur l'un des projets d'infrastructure les plus controversés depuis une génération. Stephen Harper a affirmé que la décision quant à la construction de l'oléoduc s'appuierait sur la « science », mais, comme le dira à Radio-Canada Otto Langer, un scientifique du MPO à la retraite, « il a littéralement éventré la science ».

On pourrait multiplier les exemples, dont la liste dessine le portrait en pointillé d'un gouvernement aveuglé par sa propre main. Un portrait qui révèle, pour qui sait regarder, le mobile derrière les blessures que le gouvernement conservateur s'est auto-infligées.

Imaginons donc la scène qui se déroule à l'édifice du Centre pendant ces soirées crépusculaires de la fin de l'automne 2011 où le Groupe des neuf se rencontre pour pondre les 400 pages et plus qui donneront forme au projet de loi budgétaire fourre-tout. L'appareil gouvernemental au grand complet est étalé sur la table, si l'on en croit Tony Clement, et l'équipe réunie doit y dénicher 7 milliards de dollars en coupant dans les dépenses inutiles et les programmes superflus. Programmes de commercialisation agricole, bureaux consulaires, laboratoires de recherche fédéraux mobilisés entièrement pour la mise au point de procédés techniques mieux adaptés à l'exploitation des sables bitumineux. Motoneiges furtives et gonflement artificiel des contrats d'achat de F-35. Plus d'un quart de million de dollars consacré à la recherche des vestiges de l'expédition Franklin, 16 millions de dollars pour inonder le pays de publicités vantant le « Plan d'action économique du Canada », plus de 28 millions pour commémorer le bicentenaire de la guerre de 1812. L'aménagement d'immenses espaces verts, des milliards dépensés dans l'acquisition de patrimoine immobilier, encore plus de milliards affectés à la construction et à l'entretien d'autoroutes. En somme, toute la panoplie d'un gouvernement moderne dans une nation industrielle prospère. Par quelle technique de comptabilité judiciaire le bistouri budgétaire du Groupe des neuf localise-t-il, par exemple, la prolongation d'un programme de recherche de 2 millions de dollars qui célèbre son quarante-cinquième anniversaire ? Comment la mise à mort du programme de la Région des lacs expérimentaux a-t-elle pu devenir une priorité du plan Harper ?

Eh bien, parlons-en, du travail qu'accomplit la RLE. C'est l'un des programmes de recherche sur l'eau douce le plus avant-gardiste de la planète. En 1969, l'année qui suit sa création, le lac Érié et bien d'autres écosystèmes d'eau douce sont tapissés d'une écume d'algues verte et nauséabonde, que les chercheurs de la RLE attribuent rapidement au phosphore contenu dans les déversements d'effluents industriels et municipaux. Résultat : partout dans le monde, des pays instaurent des réglementations visant à réduire ou à éliminer les phosphates entrant dans la composition des détergents de blanchissage et d'une multitude d'autres produits industriels et biens de consommation courante. Quelques années plus tard, un projet de la RLE détermine de manière irréfutable que les pluies acides découlent de la pollution atmosphérique et, particulièrement, des fumées toxiques qui s'échappent des centrales thermiques au charbon. Conséquence directe de ces découvertes : le premier ministre Brian Mulroney et le président George H. W. Bush se rencontrent en 1991 pour signer le

« traité des pluies acides », un accord général entre les deux pays, à l'édifice du Centre, celui-là même où le Groupe des neuf allait se réunir ultérieurement.

Dans la plus pure tradition de la recherche scientifique et de politiques publiques avisées, la RLE, un programme financé par le fédéral, fait la preuve que certains procédés industriels produisent des effets dévastateurs sur des écosystèmes d'eau douce et apporte l'éclairage nécessaire à l'élaboration de nouvelles réglementations destinées à protéger ces écosystèmes. Ces dernières années, David Schindler, de l'Université de l'Alberta – un des cofondateurs de la RLE et l'architecte de l'étude pionnière sur les phosphates – est devenu le spécialiste le plus éminent à se pencher sur les coûts écologiques associés à l'extraction et à la transformation du pétrole dans le nord de l'Alberta. Moins d'un an après l'adoption du projet de loi C-38, des chercheurs de l'Université Queen's et du ministère canadien de l'Environnement, se fondant sur les travaux de David Schindler, publient un rapport démontrant que des résidus cancérigènes de l'extraction du bitume se retrouvent dans les écosystèmes d'eau douce situés en aval des projets d'exploitation.

Dans la logique éclairée des gouvernements antérieurs, cette nouvelle étude contraindrait les dirigeants à soumettre l'industrie pétrolière à de nouvelles réglementations. Selon cette même logique, on conclurait que les travaux de la RLE n'ont jamais été aussi essentiels à la santé tant de la population que de l'environnement canadien. Mais la logique du plan Harper considère que la meilleure réponse est de supprimer le financement de la RLE – et tout de suite, comme s'il y avait urgence. C'est ce même budget qui a amené la création d'une *nouvelle* enveloppe de 8 millions de dollars à l'Agence du revenu du Canada, pour que celle-ci puisse contrôler plus souvent et plus rigoureusement les groupes écologistes du type de ceux qui s'érigent en ardents défenseurs des conclusions de David Schindler et des travaux de la RLE en général. Et ce, même si le gouvernement décide de ne pas endosser ces conclusions.

Encore une fois, il n'y a rien de secret dans le plan Harper. Si l'on suit sa logique, il vaut la peine de dépenser quatre fois plus d'argent des contribuables pour harceler des groupes d'intérêt public qu'il n'en coûterait pour maintenir un programme qui a démontré à maintes reprises au cours des quarante-quatre dernières années que ses recherches protègent la santé publique et celle de l'environnement canadien. Réduire au silence les détracteurs parfois virulents du gouvernement vaut 8 millions de dollars ; protéger les ressources en eau douce du pays, qui sont irremplaçables, ne vaut même pas le quart de cette somme. Le gouvernement a fait de l'exploitation des ressources sa priorité absolue, et la croissance du Canada en tant que « superpuissance énergétique » trône au premier rang, reine parmi les reines, dans la poursuite de cet objectif. En l'absence de réelle transparence, toutes sortes de raisons peuvent expliquer que le Groupe des neuf ait choisi de sabrer les principaux programmes de recherche et de surveillance environnementales. La plus évidente, cependant, est que le gouvernement poursuit des visées qu'il n'a exprimées qu'en partie. Accélérer l'exploitation des richesses naturelles du Canada : tel est le volet explicite de ce plan. Éliminer la capacité du gouvernement à percevoir le coût de cette politique : voilà le volet tacite.

John Smol, de l'Université Queen's, a dirigé l'étude qui établit un lien entre l'extraction du bitume et la pollution de l'eau douce. Il qualifie ses conclusions de « pistolet fumant », de preuve irréfutable que l'industrie pétrolière albertaine a créé un risque inacceptable pour la santé publique et environnementale, que des contrôles plus stricts s'imposent dans ce domaine. L'étude est l'illustration parfaite de la manière d'élaborer une politique éclairée : le gouvernement fédéral, qui a financé la collecte de données et l'analyse par des spécialistes d'un secteur industriel vital, a découvert une carence dans sa gestion responsable de l'environnement. Les gouvernements précédents, indépendamment de leurs penchants politiques, ont presque toujours interprété ce type de découverte de la même façon. La réglementation environnementale relative aux sables bitumineux doit être réécrite, renforcée et clarifiée, afin que l'industrie puisse poursuivre sa croissance à l'intérieur de paramètres qui protègent adéquatement le bien commun.

Mais le plan Harper a une interprétation différente de l'expression « pistolet fumant ». Le problème n'est pas la découverte d'une preuve irréfutable, mais le fait même d'avoir enquêté sur le sujet. Le plan est plus facile à appliquer si aucune nouvelle donnée ne fait surface – pas d'échantillons prélevés, pas d'analyses, pas de conclusions, pas de comptes rendus dans la presse, pas d'interprétations par les experts. En d'autres termes, la seule façon de garantir qu'il n'y aura pas d'autres « pistolets fumants », c'est de détruire la totalité des armes à feu.

3

De l'aube au couchant

La tradition scientifique canadienne

1603-2011

Depuis l'arrivée des Européens sur le continent, deux grandes traditions scientifiques – appelons-les « tradition mercantile » et « tradition laborantine » – ont coexisté plutôt pacifiquement alors que le Canada se bâtissait, passant de la colonie au dominion, puis à la nation moderne. Ce pays vaste, à la population clairsemée et dont la terre regorge de ressources a longtemps favorisé une approche essentiellement mercantile de la science, une approche à la fois pragmatique, dépourvue de vision à long terme et implacable dans son obsession d'exploiter les ressources naturelles. C'est la tradition originelle, celle qui a motivé la colonisation et servi de fondement à l'idée de la nation canadienne, celle qui a toujours dominé.

Mais dans le même temps, le Canada, terre du Nouveau Monde libérée des préjugés, des traditions et des superstitions de l'ordre européen féodal, est lourdement influencé par les idées subversives inspirées des Lumières, très prisées dans la jeune démocratie de ses voisins du sud. Même si elle n'émergera que plus tard, cette tradition éclairée – la tradition de la recherche en laboratoire, souvent animée par la seule curiosité et par le désir très humain d'explorer, et rendue possible par la grande liberté qu'offre la démocratie – est ce que la nation postcoloniale a de meilleur, l'idéal vers lequel elle a longtemps tendu. Le Canada est à la fois un entrepôt marchand et un laboratoire des Lumières, et sa tradition scientifique se définit par l'équilibre existant entre ces deux approches.

Cette dualité existe depuis le jour où Samuel de Champlain a foulé le sol nord-américain, en 1603. Champlain est un navigateur, un cartographe et un explorateur – des champs scientifiques au regard des normes du XVIIe siècle – embarqué sur le bateau de François Gravé, sieur du Pont. Contrairement au sieur du Pont, Champlain n'est pas là pour le commerce des fourrures, mais pour fonder une colonie. Il est au service du roi de France, mais son regard porte bien au-delà des trésors que convoite son pays, jusqu'aux frontières de l'Ouest. Il fonde Québec, la première colonie permanente de la Nouvelle-France, en 1608 et vient s'y installer en 1620. Ses explorations de ce nouveau territoire le conduisent très loin à l'ouest, sur les rives du lac Huron. Il meurt à Québec en 1635, l'année où le collège des Jésuites, premier établissement d'enseignement supérieur du Nouveau Monde, ouvre ses portes. (L'université Harvard ne recevra ses premiers étudiants dans la colonie du Massachusetts que l'année suivante.)

Le commerce des fourrures, la pêche et bien d'autres quêtes commerciales menées au profit de lointaines monarchies vont dominer la vie publique canadienne à partir de l'époque de Champlain jusque tard dans le XIXe siècle (pour ne pas dire jusqu'au XXe), ce qui ne va pas empêcher l'autre quête, celle du savoir et des sciences inspiré des Lumières, de se poursuivre de manière plus ou moins soutenue. Les premiers scientifiques canadiens sont pour la plupart des missionnaires jésuites sortis du collège de La Flèche, en France, où Descartes a fait ses classes. Même si c'est la spiritualité qui guide avant tout leurs motivations et leurs ambitions, les Jésuites sont d'excellents spécialistes de l'astronomie et des sciences naturelles, qui consignent méticuleusement les données géographiques et géologiques du Canada, qui inventorient la flore et la faune abondantes au lieu de se contenter de les piller.

Pendant le bref et lumineux gouvernement de Roland-Michel Barrin de la Galissonière, de 1747 à 1749, la Nouvelle-France se retrouve même à l'avant-garde des Lumières. De la Galissonière est un ardent défenseur des Lumières. Il ordonne aux officiers de son armée de lui livrer un flux incessant de nouvelles découvertes, nourrissant ainsi le rêve de voir naître l'utopie de la Nouvelle Atlantide de Francis Bacon dans l'immensité sauvage du Canada. De la Galissonière est hélas rappelé en France avant même d'avoir terminé la troisième année de son gouvernement, et ses successeurs ne partageront pas son amour de la connaissance pure.

Après la conquête de 1763, les autorités britanniques s'y intéressent encore moins. Elles ne voient dans les riches étendues du Canada qu'un gigantesque entrepôt dont la fabuleuse abondance les séduit ; que des stocks inépuisables de richesses à piller et à embarquer sur des navires en partance pour l'Europe. Peaux de castor, morues, saumons, billes de bois, blé, or, nickel... Voilà quelles vont être pendant des générations entières les préoccupations majeures des spécialistes en sciences appliquées, des experts de l'ingénierie et des techniques, et plus particulièrement des trappeurs, des bûcherons, des fermiers, des mineurs et des foreurs. Quand un gouvernement du XXIe siècle, en l'occurrence celui de Stephen Harper, essaie de convaincre les Canadiens de la nécessité, selon lui évidente, de se débarrasser d'encombrantes réglementations environnementales pour favoriser l'essor de la libre entreprise, de profiter des largesses de la nature dès aujourd'hui en laissant l'épineux problème de la bonne gouvernance à quelque futur maître de colonie, son argument rencontre un écho dans la tradition politique canadienne la plus ancienne : l'art d'exploiter les ressources naturelles par le biais de comptoirs coloniaux. Le Canada de Harper est un avant-poste colonial agissant en franc-tireur, qui a pour client le marché mondial et qui met ses outils industriels et son expertise en matière d'exploitation des ressources à la disposition du plus offrant (ou, du moins, de celui qui éprouvera le moins de scrupules à l'égard de son mépris pour la notion de gestion responsable défendue au XXIe siècle).

Dans *The Fur Trade in Canada,* étude phare sur l'histoire économique du pays publiée en 1930, Harold Innis s'est abondamment indigné de ce trou béant qu'a creusé la période coloniale dans notre paysage à force d'exploitation et d'exportation effrénées des ressources naturelles dans une optique de profits à court terme. Innis soutient que cela a fait de nous un pays de « fendeurs de bois et de porteurs d'eau », bien démuni devant les systèmes économiques d'Europe et d'Amérique du Nord. Et il est vrai que c'est la tradition qui prévalait dans le commerce et les sciences canadiennes jusque tard dans le XXe siècle. Mais en dépit de cette tendance, les idéaux et les ambitions éclairées de Barrin de la Galissonière n'ont jamais totalement disparu du paysage et, à mesure que le Canada se démocratise et que la population se gonfle du flot incessant de l'immigration, tout au long du XIXe siècle, l'idée d'une science qui servirait de fondement objectif à une bonne gouvernance gagne en puissance. Mais c'est surtout l'immigration écossaise, qui débute dans les années 1920 et ne va cesser de s'intensifier, qui changera à jamais les sciences canadiennes.

Au XIXe siècle, l'Écosse est le centre scientifique de la Grande-Bretagne, au point que ses grandes universités d'Édimbourg et de Glasgow ont meilleure réputation qu'Oxford et Cambridge en médecine, en ingénierie et en sciences naturelles. Avec l'arrivée massive d'immigrants, on voit débarquer au Canada bon nombre d'Écossais ayant bénéficié d'une éducation supérieure. Très vite, les sociétés scientifiques essaiment dans les villes des colonies canadiennes, et l'afflux de professeurs écossais va bouleverser en profondeur l'enseignement dans les universités du pays. En 1842, le gouvernement du Canada uni fonde la Commission géologique du Canada et nomme comme directeur le géologue d'origine écossaise William Edmond Logan fonde la Commission géologique du Canada; en 1849, Sandford Fleming, ingénieur né en Écosse, fonde le Royal Canadian Institute avec l'Irlandais Kivas Tully. Ensemble, ces deux institutions vont devenir le fer de lance de l'ère scientifique de la Confédération au Canada – parallèlement à la Société royale du Canada, fondée par le gouverneur général, le marquis de Lorwe – et vont préparer le terrain pour ce qui deviendra au XXe siècle un courant très fertile de recherche financée par l'État.

Dès les années 1850, les réalisations scientifiques canadiennes deviennent un motif de fierté nationale – comme la très singulière collection de roches et de minerais canadiens de William Logan, qui remporte un vif succès aux expositions internationales de Londres et de Paris. La jeune communauté scientifique canadienne connaît rapidement d'autres moments de gloire dans la seconde moitié du XIXe siècle. Quand le gouvernement britannique abandonne son observatoire magnétique de Toronto, en 1853, le Royal Canadian Institute prend la relève et se charge dès lors de la collecte de données. L'institut présente aussi la première conférence publique de Sandford Fleming sur les fuseaux horaires, en 1879, et son activisme très novateur en matière de protection de l'environnement va mener à la création du parc provincial Algonquin (le premier parc provincial du Dominion) en 1893. La Société royale du Canada, qui voit le jour en 1882, accueille à Montréal dès 1884 la première assemblée de la British Association for the Advancement of Science à se tenir hors du Royaume-Uni. Le Service des fermes expérimentales, dont les recherches permettront de mettre au point la fameuse souche du blé marquis qui fera du Canada l'un des plus prolifiques « greniers du monde », est créé en 1886 par le gouvernement fédéral. La première station de recherche en biologie marine ouvre ses portes en 1897. La même année, Ernest Rutherford entreprend à l'Université McGill les travaux qui vont lui valoir le prix Nobel en 1909. Et la recherche active de charbon par la Commission géologique permet au Canada de se hisser aux avant-postes de cette jeune science qu'est la paléontologie.

Si la plupart des Canadiens pénètrent dans le XXe siècle

comme « fendeurs de bois et porteurs d'eau » (et déterreurs de charbon, et tombeurs de troncs, et planteurs de blé), le jeune pays compte aussi dans ses rangs des cerveaux remarquables et des adeptes de nobles passe-temps. Et c'est dans les balbutiements de cette ère progressiste que le Canada, qui aspire à jouer les premiers de classe sur le terrain scientifique, va enfin trouver un grand défenseur au sein du Parlement.

À la fois personnage solennel et leader rébarbatif, Sir Robert Borden est un politicien si dénué de charisme qu'un journaliste de l'époque, commentant son retrait de la vie politique, dira de lui que sa biographie serait « à mourir d'ennui ». Quand Charles Tupper le choisit pour lui succéder à la tête du Parti conservateur en 1896, Borden semble destiné à n'être qu'une note en bas de page de l'histoire canadienne. Il dit de sa nomination qu'elle est « une absurdité pour le parti, et un calvaire pour [lui] ». L'accomplissement le plus notable de ses quinze premières années à la tête du parti est de s'être fait battre à plate couture par Sir Wilfrid Laurier et ses libéraux en pleine ascension.

Mais si le dynamisme d'un Macdonald ou d'un Laurier lui fait singulièrement défaut, l'homme n'est pas pour autant dénué de grandes ambitions. Borden est un réformateur progressiste convaincu et, en sa qualité de chef conservateur, il ne vise rien de moins qu'une profonde et totale transformation de l'appareil d'État. Il entend mettre un terme au « capitalisme de copinage », à la corruption et au népotisme indécent qui ont marqué la fonction publique tout au long du XIXe siècle. À la place, il veut des organismes publics modernes et efficaces, indépendants du Parlement et de ses partisaneries, et capables d'afficher « compétence et neutralité » en matière de politiques publiques. (Pour Borden, « compétence et neutralité » font office de cri de ralliement.) Chemins de fer et installations portuaires, services publics et télécommunications : voilà autant d'institutions qui devraient être gérées par des fonctionnaires sans étiquette politique, des gens qui auraient obtenu leur poste grâce à leur compétence et gravi les échelons au mérite, et non en vertu de leurs accointances politiques.

La réforme de la fonction publique s'est amorcée sous les libéraux de Laurier, aux prises avec un nombre croissant d'accusations de corruption, mais c'est l'accession de Borden, en 1911, au poste de premier ministre qui marque vraiment l'aube de l'ère progressiste au Canada. Très vite, son gouvernement met sur pied des agences indépendantes chargées de superviser les Archives nationales et l'établissement des tarifs. Les réformistes conservateurs iraient encore plus loin si la faillite des chemins de fer et le déclenchement de la Première Guerre mondiale ne freinaient leurs ardeurs. Pendant la guerre, Borden instaure le Conseil consultatif honoraire de recherches scientifiques et industrielles, ancêtre du Conseil national de recherches. La Loi sur le ministère de la Fonction publique de 1918, votée dans la foulée de l'Armistice, marque la reprise du plan de réforme ambitieux de Borden et établit les règles de base qui vont gouverner, tout le siècle durant, la fonction publique et les organismes scientifiques financés par le gouvernement.

Depuis Kant, les penseurs des Lumières n'ont cessé d'avancer l'idée que la raison et les révélations de la science devaient servir de fondements aux politiques publiques, lesquelles seraient appliquées par des organes législatifs bien informés grâce à leur accès aux meilleurs experts scientifiques et à des données objectives. Les partisans vont bien sûr continuer d'en découdre à la Chambre des communes, mais au moment d'élaborer des lois, de gérer des ministères et de mener des recherches d'intérêt public, la raison et l'information scientifique vont triompher des arguments idéologiques et des objectifs politiques à court terme. Bien que ce système n'ait pas été sans failles, il a la plupart du temps tenu bien informés les experts en politiques publiques au Canada… jusqu'à l'élection du vingt-deuxième premier ministre du pays, Stephen Harper, en 2006.

La RLE (Région des lacs expérimentaux) est à la fois une formidable réussite de la tradition progressiste instaurée par Borden et une étude de cas de son héritage – ses succès et ses limites, la tension perpétuelle entre traditions mercantile et laborantine, et l'éclipse de cette dernière durant l'ère Harper. Les cinquante-huit petits lacs du nord de l'Ontario, creusés parmi des milliers d'autres dans le Bouclier canadien lors du retrait des glaciers à la fin de la dernière période glaciaire, ont initialement été choisis, en 1968, à des fins de recherche. David Schindler, un chercheur brillant et ambitieux, était le directeur fondateur de ce centre de recherche qui fut placé sous les auspices du Conseil de recherches sur les pêcheries du Canada, une bonne vieille institution indépendante comme les aimait Borden, établie au tournant du dernier siècle à la suite de la création des premières stations de recherche marine.

La RLE est un laboratoire de recherche d'une ampleur sans précédent dans l'histoire des sciences aquatiques au

Canada et ailleurs. Au lieu d'éprouvettes et d'échantillons, Schindler et ses collègues disposent d'un écosystème d'eau douce dans toute sa biodiversité. Cette installation va vite donner d'étonnants résultats. À la fin des années 1960 et au début des années 1970, un des plus grands cauchemars environnementaux est l'eutrophisation des lacs d'Amérique du Nord, causée par la croissance exponentielle des algues vertes, qui se nourrissent des formidables quantités de nutriments issus de la pollution industrielle et agricole. Le lac Érié, par exemple, devient synonyme de pollution toxique avec son épaisse couche d'algues vertes en surface et les rivières qui viennent y déverser tous les effluents empoisonnés coulant du cœur industriel de l'Amérique. (La surface de la rivière Cuyahoga, en Ohio, qui se jette dans le lac Érié, est si saturée de pollution pétrolifère qu'elle prend feu en 1969, devenant tristement célèbre dans le monde entier.)

Les scientifiques soupçonnent le phosphore d'être responsable de l'eutrophisation. Les grandes industries et les grosses fermes commerciales emploient de grandes quantités de phosphates, et chaque foyer d'Amérique du Nord en ajoute un peu chaque fois qu'on y lave le linge ou la vaisselle. En l'absence de preuves concluantes, toutefois, les lobbyistes de l'industrie persistent à clamer leur innocence. Avec la RLE, David Schindler dispose d'une possibilité unique de reproduire l'inondation du lac Érié en milieu contrôlé. En 1973, il érige une barrière sous-marine à travers un passage étroit du lac 226, créant ainsi deux bassins distincts, une sorte de gigantesque évier double. Schindler déverse ensuite du carbone et du nitrogène (deux substances présentes en grande quantité dans les lacs eutrophisés) des deux côtés de la barrière, mais n'ajoute d'énormes quantités de phosphore que dans une moitié. Les photos aériennes du lac 226 cet été-là offrent la version courte d'une histoire que Schindler va développer en long et en large dans un article qui fera date et que publiera le magazine *Science* l'année suivante. L'eau du bassin dépourvu de phosphore reste du même bleu profond, tandis que celle du bassin dans lequel on a déversé du phosphore a pris une coloration vert soupe aux pois en quelques mois seulement, les algues se gavant de leur polluant industriel préféré.

L'étude de Schindler établit hors de tout doute que les phosphates présents dans les engrais et dans les détergents industriels et domestiques, ces phosphates qui ont lourdement contaminé le lac Érié et bien d'autres lacs dans des régions densément peuplées partout sur le globe, sont la cause de la croissance exponentielle des algues qui ont étouffé toute forme de vie dans de nombreux écosystèmes aquatiques à travers la planète. Dans les années qui suivent, les gouvernements du monde entier commencent à bannir l'usage des phosphates industriels et domestiques. Et le laboratoire vivant perdu dans le nord lointain de l'Ontario devient, quasiment du jour au lendemain, une station de recherche en eaux vives mythique sur la scène internationale.

Deux ans à peine après la publication de son article sur l'eutrophisation, Schindler lance avec ses collègues de la RLE une série d'expériences dans le lac 223, laquelle va aboutir à une découverte qui, une fois de plus, ébranlera la planète – et deviendra l'un des fleurons de l'âge d'or de la gestion responsable de l'environnement au Canada. En 1976, les chercheurs de la RLE inondent le lac 223 d'acide sulfurique, reproduisant ainsi les effets des pluies acides. Dans les années qui suivent, la biodiversité du lac 223 s'effondre. En 1983, la truite de lac et le meunier noir, dont le cycle de reproduction a subi de graves perturbations, ont quasiment disparu. L'année suivante, Schindler et son équipe réduisent l'acidité du lac 223 de manière à simuler une réduction des émissions de soufre par les usines fonctionnant au charbon – suspectées d'être à l'origine des pluies acides. Les meuniers noirs recommencent aussitôt à se reproduire. Du coup, la truite de lac retrouve sa principale source de nourriture, et sa population se rétablit.

L'article décrivant l'expérience menée dans le lac 223 paraît dans *Science* en 1985. En 1988, alors que le premier ministre Brian Mulroney presse le gouvernement des États-Unis de s'attaquer au problème des pluies acides, Schindler témoigne devant de nombreuses instances législatives aussi bien aux États-Unis qu'au Canada, et va raconter l'histoire de la terrible acidification du lac 223 jusque dans les pages du *New York Times* et sur les plateaux de la NBC. En 1991, la Commission mixte internationale – l'organisation qui gère les problèmes liés aux eaux limitrophes entre les États-Unis et le Canada – signe l'Accord Canada–États-Unis sur la qualité de l'air, mieux connu sous le nom de « traité sur les pluies acides ». Une fois de plus, la RLE a influencé fondamentalement les politiques publiques à l'échelle internationale.

Le traité sur les pluies acides clôture l'une des époques les plus fructueuses quant à la gestion responsable de l'environnement au Canada, culminant dans une série de triomphes à l'échelle planétaire du ministère de l'Environnement, qui a fait preuve d'une remarquable efficacité dans les années Mulroney. C'est en partie grâce au travail accompli lors de cet âge d'or de la recherche que les Canadiens tendent à voir l'image mythique du bon Canadien lorsqu'ils se regardent dans les eaux sombres et miroitantes de la multitude de lacs qui couvrent notre pays. Le Canadien tranquille, bien éduqué. Le gardien de la paix, le loyal agent de la police montée, le voyageur. Le gardien de parc responsable, le chef de file mondial en matière d'environnement. Ils voient une suite ininterrompue de brillantes décisions environnementales en parfaite harmonie avec une nation dont le territoire est toujours plus sauvage que civilisé. Si lacs immaculés, forêts profondes et sauvages, et pics enneigés ne se trouvent pas au Canada, où les trouvera-t-on ? Si nous ne sommes pas les bons gars, alors où les chercher ? Tout cela ne continue-t-il pas d'exister, de manière immuable et intemporelle, malgré les cris des manifestants ? Cette perception persiste en grande partie parce que les Canadiens continuent de se bercer de l'illusion que nous vivons un âge d'or de la recherche et de la gestion responsable de l'environnement – un âge d'or aujourd'hui en pleine éclipse !

Comme la RLE, l'accession du Canada aux hautes sphères de la recherche environnementale remonte au début des années 1970. Les universités de tout le pays ont connu un véritable boum dans les années 1960, décernant un nombre sans précédent de doctorats dans les domaines scientifiques. Mais alors que frappent la crise de l'énergie de l'OPEP et les réductions budgétaires du début des années 1970, les postes de chercheurs se raréfient sur les campus ; toutefois, ils restent relativement abondants au gouvernement. Un nombre sans précédent de brillants esprits scientifiques se trouvent donc enrôlés dans des labos gouvernementaux – principalement dans le champ nouveau et en pleine ébullition des sciences de l'environnement. « Quand j'ai débuté, dans les années 1970, ce sont les universités qui étaient perçues comme occupant le bas du pavé en matière d'excellence, m'a raconté David Schindler. On pensait que le nec plus ultra des recherches sur les milieux aquatiques et sur la qualité de l'air se faisait au gouvernement fédéral. »

Avant la fin de la décennie, les chercheurs canadiens en sciences de l'environnement à l'emploi du gouvernement se démarquent par des découvertes majeures, et ils établissent un plan international visant à régler quelques-uns des problèmes environnementaux les plus urgents tout au long des années 1980. Les premières tentatives en Amérique du Nord de s'attaquer aux pluies acides datent du bref passage de Joe Clark au 24, promenade Sussex. Quelques années plus tard, le gouvernement progressiste-conservateur de Brian Mulroney reprend cette initiative en instaurant les politiques environnementales sans doute les plus efficaces de l'histoire canadienne. Sous Mulroney, le gouvernement canadien a voté une nouvelle loi pour réduire les émissions de dioxyde de soufre et commencer ainsi à faire pression sur les États-Unis pour qu'ils entrent dans la lutte contre les pluies acides, action qui culminera avec la signature du traité historique de 1991. Les experts juridiques et scientifiques canadiens ont tenu un rôle de la plus haute importance dans les premières discussions internationales concernant l'amincissement da la couche d'ozone – tirant la sonnette d'alarme, évaluant la gravité de la crise et cosignant une entente internationale visant à prendre de solides mesures pour réduire la taille du trou dans la couche d'ozone. Le protocole de Montréal, signé par 46 pays en 1987 et ratifié depuis par 151 pays supplémentaires, a été baptisé ainsi en hommage au pays qui y a le plus contribué. Elizabeth May, chef du Parti vert, qui agissait à l'époque à titre de conseillère supérieure de Brian Mulroney au sein du ministère de l'Environnement, a dit de cette entente qu'elle était « le traité international le plus important en ce qui a trait à la protection de la vie depuis le traité de 1962 interdisant les essais d'armes nucléaires dans l'atmosphère ».

Rétrospectivement, l'influence du gouvernement Mulroney en matière de changements climatiques est particulièrement impressionnante – à la fois à cause de la nouveauté et de la complexité de ce champ d'études, et aussi parce que le parti que Mulroney a dirigé autrefois est devenu, depuis sa fusion avec l'Alliance canadienne de Stephen Harper, une référence mondiale en termes de laisser-faire quant au problème des changements climatiques. Il n'existe aucun autre domaine où le gouvernement canadien a rejeté aussi manifestement la raison et la preuve scientifique, aucun autre secteur politique de premier plan où il a si catégoriquement tourné le dos à ses alliés traditionnels et à cette communauté scientifique qu'il a autrefois guidée. Un quart de siècle avant que les conservateurs de Harper renient l'engagement du Canada envers le protocole de Kyoto, les progressistes-conservateurs de Brian Mulroney étaient les principaux architectes de l'appareil bureaucratique qui l'a enfanté.

Rembobinons le film jusqu'au milieu des années 1980. Devant les preuves de plus en plus abondantes de la catastrophe écologique qu'est en train de provoquer l'activité industrielle mondiale, les Nations Unies créent la Commission mondiale sur l'environnement et le développement, dans le but de contrer cette menace planétaire. La commission – surnommée « commission Bruntland » en l'honneur de sa présidente vigoureuse et très efficace, la future première ministre norvégienne Gro Harlem Bruntland – produit un remarquable rapport en 1987, « Notre avenir à tous », qui fait passer dans le langage courant la notion de « développement durable » et engage le processus de négociation qui va aboutir en 1992 au Sommet de la Terre de Rio, puis au protocole de Kyoto sur la réduction des émissions de gaz à effet de serre en 1997.

Les fonctionnaires canadiens jouent un rôle de premier ordre tout au long de ce processus. Le gouvernement canadien débourse une bonne partie du financement de la Commission, et le représentant du Canada, Maurice Strong, officiera en qualité de secrétaire général du sommet de Rio. Même le protocole de Kyoto – qui va devenir la bête noire des conservateurs de Harper – s'inspire de l'excellent protocole de Montréal, négocié par les progressistes-conservateurs de Brian Mulroney. Et entre ces deux accords, Brian Mulroney et ses collègues du Parlement s'investissent dans une série de discussions de haut vol qui vont mener à une définition des questions de politique publique du XXIe siècle.

Le legs des progressistes-conservateurs de Mulroney en matière de politique environnementale a été effacé de l'ADN organisationnel du Parti conservateur du Canada avec un tel acharnement que les actions qu'a menées ce parti pour lutter contre les changements climatiques à la fin des années 1980 et au début des années 1990 nous semblent aujourd'hui presque incroyables, comme si ces gens-là venaient non seulement d'une autre époque, mais carrément d'un autre univers. La première réponse de la communauté internationale des environnementalistes au rapport Bruntland, par exemple, a été offerte lors de la Conférence de Toronto, en 1988, cofinancée par le gouvernement du Canada. Un participant a qualifié l'événement de « Woodstock des climatologues ». Le premier ministre Brian Mulroney y a prononcé l'allocution d'ouverture, Bruntland y a parlé, et les scientifiques du gouvernement canadien se sont comportés en hôtes enthousiastes. Les thèmes de la conférence ne se limitaient pas aux seuls changements climatiques : ils touchaient tous les problèmes des sciences de l'atmosphère, de la réduction de l'ozone aux pluies acides. Le Canada avait alors la réputation de défendre si férocement sa direction en matière environnementale que les représentants des États-Unis venaient au départ un peu à reculons, craignant que leurs homologues canadiens ne leur reprochent leur inaction dans le dossier des émissions de dioxyde de soufre causant les pluies acides – comme l'avaient établi les scientifiques de la RLE quelques années auparavant.

La Conférence de Toronto, qui fait le pont entre le rapport Bruntland de 1987 et le Sommet de la Terre de 1992, se conclut sur une déclaration de consensus plus forte et plus explicite que tout ce qu'a pu dire un ministre de l'Environnement depuis le début de l'ère Harper. « L'humanité, peut-on y lire, mène une expérience sans aucune balise, qui se propage dans le monde hors de tout contrôle et dont les conséquences seront à peine moins graves qu'une guerre nucléaire à l'échelle de la planète. » Ainsi parlaient en 1988 les scientifiques lors des conférences où s'exprimait aussi le premier ministre conservateur.

Le Groupe d'experts intergouvernemental sur l'évolution du climat (GIEC), première organisation destinée à informer les décideurs politiques sur les changements climatiques, est créé plus tard cette même année. À la troisième Conférence mondiale sur le climat, qui se déroule à Genève en 1990, décideurs et scientifiques canadiens occupent encore un rôle de premier plan ; ils sont tout à fait libres et semblent décidés à définir le rythme auquel la planète doit lutter contre les changements climatiques. La délégation du gouvernement canadien, composée d'une demi-douzaine de parlementaires, ne compte pas seulement des progressistes-conservateurs, mais aussi des libéraux et des néo-démocrates. Le climatologue John Stone, un haut fonctionnaire d'Environnement Canada qui plus tard prendra les rênes du groupe de modélisation climatique du ministère, se souvient que l'équipe travaillait dans un esprit de collaboration tout simplement inimaginable aujourd'hui, particulièrement lors d'une conférence sur le climat. « C'était à la fois diversifié et très ouvert, raconte-t-il. Je me revois lors d'une réunion, à la grande table de notre ambassade de Genève, assis avec ces parlementaires issus de différentes formations politiques et qui discutaient ouvertement, entre autres choses, des positions du gouvernement canadien. Aujourd'hui, dans des conventions-cadres de ce type, ils sont tous étroitement contrôlés, et aucun membre d'un autre parti n'est invité. »

De Toronto à Rio, en passant par Genève, les scientifiques du gouvernement canadien sont à l'avant-garde de la recherche sur le climat, et leur travail occupe une place de choix dans le programme du gouvernement, en plus d'être généreusement financé. « Je disposais des fonds supplémentaires de plusieurs dizaines de millions de dollars à injecter dans la recherche sur le climat, m'explique Stone. Et nous étions capables d'engager d'excellents experts. Et notre groupe de modélisation climatique faisait un aussi bon travail que n'importe quelle équipe dans le monde, même si la plupart d'entre elles étaient plus importantes et mieux financées. »

Alors que les discussions sur les changements climatiques évoluent de la recherche vers le consensus, puis vers l'action politique, l'ascendant des Canadiens semble être devenue incontournable. La ratification du protocole de Kyoto par le gouvernement de Jean Chrétien est une simple formalité. Au pays, la recherche en sciences environnementales est à son apogée, dûment financée et louangée sur la scène internationale, forte de ses remarquables découvertes et de ses succès politiques. Pourtant, les graines du déclin sont déjà enfouies en son sein. L'éviscération a d'une certaine manière déjà commencé. Une fois encore, l'exemple de la RLE illustre cette chute, partiellement et à petite échelle, et l'effondrement catastrophique de la pêche à la morue explique le reste.

Qu'il s'agisse de la RLE ou de la pêche, les problèmes débutent avec la fusion en 1979 de différents ministères sous la bannière d'une seule entité : le nouveau ministère des Pêches et des Océans (MPO). Au début, le MPO est administré par le Conseil consultatif de recherches sur les pêcheries et les océans, lui-même placé sous l'égide de l'Institut des eaux douces, un centre de recherche indépendant basé à Winnipeg. Dirigée et administrée par des scientifiques dans la plus pure tradition laborantine, la RLE telle que Robert Borden l'avait envisagée n'est pas soumise aux décisions législatives à court terme et se trouve quasiment à l'abri du Parlement. Et le Conseil consultatif de recherches sur les pêcheries et les océans est de son côté un organisme scientifique aussi vénérable que respecté sur la scène internationale – David Schindler, le fondateur de la RLE, se souvient que la réputation du Conseil était si solide lorsqu'il faisait des études supérieures en Europe, dans les années 1960, que même les universités les plus fauchées renouvelaient religieusement leur abonnement à sa revue. Chacun tient pour acquis à l'époque que la meilleure expertise en recherche aquatique vient du Canada.

Le MPO, lui, repose sur des bases radicalement différentes. Le portefeuille des Pêcheries a été pas mal ballotté tout au long des années 1970, passant d'abord sous l'égide des Forêts, puis sous celui de l'Environnement, jusqu'à ce que la science et la surveillance environnementales soient réunies dans un même portefeuille et que tout le secteur des pêcheries passe sous le contrôle du MPO – pas seulement l'administration de l'industrie de la pêche, mais aussi les sciences aquatiques, la gestion des stocks halieutiques et celle de centres de recherche comme la RLE. On obtient alors un superministère croulant sous la bureaucratie, très vulnérable aux caprices du Parlement et résolument orienté vers le commerce. Il s'intéresse assez peu à la protection de l'environnement, et pas du tout à la science pour la science. Sa mission est de s'assurer que la très lucrative industrie canadienne de la pêche – en particulier celle des diamants bruts que sont la morue et le saumon – continue de vivre dans le bonheur et l'opulence, et que les députés qui supervisent le pillage de la ressource restent au pouvoir. Les dirigeants du MPO ne savent rien ou à peu près des expériences bizarres menées au fin fond des forêts ontariennes infestées de moustiques. Et quand ils mentionnent la RLE, c'est pour dire qu'il s'agit d'un boulet inutile et incompréhensible. « Il était très difficile de travailler pour eux, se souvient David Schindler. On aurait dit que ces gens passaient leurs nuits blanches à se demander ce qu'ils pourraient bien faire pour casser le moral de leurs troupes ! »

Le premier accrochage qui oppose Schindler à ses « nounous » du MPO survient au moment où on couvre la RLE de lauriers pour ses travaux sur les pluies acides. Alors que les cadres du MPO se demandent comment réagir aux découvertes du milieu des années 1980, Schindler publie un article dans la revue *Science*. Il y établit que, pour éviter les effets calamiteux qu'il a observés dans le lac 223 de la RLE, les émissions de soufre ne doivent pas excéder les dix à quinze kilogrammes par hectare de lac. Mais le gouvernement canadien, de manière plus ou moins arbitraire, a fixé ce maximum à vingt kilos. Les bureaucrates du MPO défendent ce chiffre bec et ongles, et certains vont même jusqu'à accuser Schindler d'avoir volontairement sapé la position du gouvernement. Irascible et n'ayant pas l'habitude de mâcher ses mots, le chercheur sera réprimandé ainsi à plusieurs reprises au cours des années 1980 pour avoir publiquement dévoilé des vérités qui dérangent. En 1989, il démissionne de la RLE, qu'il aura dirigée pendant vingt et un ans. « Cette stupidité est l'une des raisons pour lesquelles j'ai quitté ce projet », m'a-t-il confié.

Dans les années qui suivent, le couperet du gouvernement s'abat à répétition sur la RLE. « En général, lorsque la RLE avait la tête sur le billot, quelques bons éditoriaux écrits dans la presse scientifique par des journalistes très bien informés, associés aux hurlements d'Environnement Canada et aux bonnes notes que nous décernaient des vérificateurs généraux, parvenaient à convaincre les bureaucrates du MPO de ne pas saborder le projet. Mais ces gens ne comprenaient strictement rien ni au travail ni au rôle de la RLE. »

La menace la plus sérieuse tombe en 1996 : les libéraux de Jean Chrétien se débattent pour sortir de la pire récession que le pays ait connue depuis des lustres, et le financement se fait rare. La RLE n'a peut-être pas beaucoup de défenseurs au MPO, mais elle évite encore une fois l'anéantissement grâce à des interventions extérieures – notamment ce que la *Winnipeg Free Press* décrit comme « une tempête de protestations au sein du caucus libéral ». Ayant perdu les deux tiers de son personnel, la RLE réussit malgré tout à se battre vaillamment, jusqu'au moment où elle sombrera dans la moulinette du projet de loi C-38 de Stephen Harper.

L'amalgame de la science et de la politique au cœur du ministère des Pêches et des Océans, en 1979, a également porté un coup fatal à la pêche à la morue. Deux ans plus tôt, le Canada a agrandi son ressort côtier, le faisant passer de 3 à 200 milles marins. Cette extension arrive au moment où la pêche à la morue atteint un sommet dans l'histoire des Grands Bancs de Terre-Neuve. Dans les belles années, plus d'un millier de chalutiers industriels, dont certains parmi les plus grands jamais construits, sillonnent les eaux de l'Atlantique Nord. Entre 1960 et 1975, leurs chaluts remontent plus de morue qu'il ne s'en est pêché dans ces eaux entre 1500 et 1750. Des représentants du gouvernement canadien ont déjà fanfaronné en jurant que « seul un retournement de la nature » pourrait épuiser les stocks de morue. C'était compter sans la formidable puissance des chalutiers-usines, capables de tirer de gigantesques filets dans les fonds marins.

L'industrie continue de prospérer jusqu'au début des années 1980, déclarant des prises record d'environ un quart de million de tonnes par an au milieu de la décennie. Ministres et fonctionnaires continuent de clamer que les stocks sont abondants et de promettre des jours encore meilleurs, mais vers le milieu des années 1980, une poignée de scientifiques du MPO commence à parler de pêche non durable, de diminution des stocks halieutiques. Lors d'une réunion du Comité scientifique consultatif sur les pêches canadiennes dans l'Atlantique (CSCPCA), en 1986, George Winters, un scientifique du ministère, présente un article extrêmement troublant. Les prises en zones côtières connaissent un déclin important, démontre Winters, qui conclut que le MPO se livre à une surévaluation systématique des stocks de morue depuis 1977. Le CSCPCA, qui, malgré son apparence d'organisme scientifique, doit en réalité rendre des comptes à des gestionnaires et à un ministre qui ont des priorités plus élevées que la science, prend bien note des conclusions de Winters, mais les rejette sous prétexte qu'elles ne reposent « manifestement sur rien de scientifique », comme le rapportera en 1997 un article paru dans le *Journal canadien des sciences halieutiques et aquatiques* – l'organe du MPO. Les quotas restent donc très élevés jusqu'à la fin des années 1980. En 1990, alors que se profilent la faillite des pêcheries de morue et un moratoire désastreux sur le plan financier, le CSCPCA présente trois options pour les quotas de 1991 : 100 000 tonnes (une cible incontournable, selon les scientifiques du MPO, si l'on veut maintenir les stocks), 150 000 tonnes et 170 000 tonnes. Le Comité écarte le scénario ciblant le maintien des stocks, et les fonctionnaires débattent plutôt des mérites des deux autres variantes du *statu quo* de 200 000 tonnes. Finalement, on établit le quota pour 1991 à 190 000 tonnes. En 1992, l'industrie canadienne de la pêche à la morue, la ressource aquatique la plus fabuleuse de l'histoire de l'humanité, s'éteint à jamais en tant qu'activité commerciale. L'effondrement des stocks entraîne un moratoire si violent et si conflictuel pour les pêcheurs terre-neuviens qu'il faudra tenir à huis clos la conférence de presse au cours de laquelle le ministre des Pêches, John Crosbie, en fait l'annonce. Il promet pourtant de rouvrir les pêcheries commerciales quelques années plus tard, une fois les stocks renouvelés. Ce moment n'est jamais arrivé.

L'anéantissement de la pêche à la morue au Canada a inspiré de nombreuses études, suscité bien des récriminations et fait se lever bien des doigts accusateurs. Dans les années qui ont suivi, les fonctionnaires du MPO ont tenté de se dédouaner en attribuant la responsabilité de la disparition de la morue aux eaux anormalement froides et à la voracité des phoques. Mais quelques scientifiques à leur emploi avançaient des arguments bien différents. Dans un article de 1994, Ransom Myers et Jeff Hutchings, deux chercheurs du MPO, apportent la preuve que « la surexploitation a précipité l'extinction de la morue du Nord ».

La réaction des bureaucrates est de contester ces conclusions et de s'en prendre aux scientifiques. Un sous-ministre du MPO qualifie même de « journalisme de tabloïd » un article paru en 1997 et dénonçant le fait que les bureaucrates ne trouvaient « rien de scientifique » aux avertissements de Winters. Hutchings et Myers, entre-temps, ont quitté le ministère pour l'université. En 1997, Myers raconte devant un comité parlementaire que les fonctionnaires du MPO pratiquent « l'intimidation et l'asservissement de la science » en faisant disparaître des données scientifiques qui contredisent leurs politiques et en réduisant au silence les scientifiques qui les produisent.

Hutchings, de son côté, cosigne en 1997 un article dans lequel il tire les leçons scientifiques de l'effondrement des stocks de morue et de l'incapacité du ministère à prendre en considération les avertissements des chercheurs. Intitulé *Is Scientific Inquiry Incompatible With Government Information Control? (La recherche scientifique est-elle incompatible avec le désir du gouvernement de contrôler l'information?)*, l'article déplore que des « influences qui n'ont rien de scientifique » réduisent considérablement la diffusion de l'information essentielle au sein du MPO, et que « l'interférence des fonctionnaires dans le domaine gouvernemental des sciences de la pêche a compromis les efforts du MPO pour maintenir les stocks halieutiques ». Ce qui revient à dire que, quand la science est inféodée aux exigences à court terme de la politique, la science souffre inévitablement. « La structure actuelle visant à connecter les sciences halieutiques et la gestion des pêcheries a provoqué, intentionnellement ou non, la suppression du doute scientifique et la possibilité de documenter pleinement les divergences d'opinions scientifiques pourtant tout à fait légitimes, écrit Hutchings. Nous émettons l'hypothèse que la préservation des ressources naturelles n'est en rien facilitée par l'intégration de la science au sein d'un corps politique. »

« L'effondrement de la pêche à la morue, m'a dit Hutchings, est un très bon exemple de ce qui arrive quand vous accordez la priorité au développement économique à tout prix, ou presque, et que vous réduisez la valeur de l'opinion scientifique. »

La leçon la plus évidente à tirer de la surpêche de la morue, c'est que le développement durable des ressources naturelles devrait être indissociable du modèle de Borden : les chercheurs du gouvernement évaluent une situation en toute indépendance, puis fonctionnaires et législateurs établissent leurs politiques en fonction des conclusions de ceux-ci. En un sens, le gouvernement conservateur actuel a choisi de faire exactement le contraire. Au lieu de laisser toute leur liberté aux chercheurs afin qu'ils trouvent les meilleures stratégies pour préserver les ressources naturelles, il s'active à entraver leur capacité à récolter et à diffuser toute information quant aux conséquences de ses décisions politiques. La protection des ressources naturelles n'est pas prise en charge d'une manière jugée satisfaisante par les chercheurs du gouvernement intégrés dans les ministères ? Cessons tout simplement de fixer comme objectif la protection des ressources. Les chercheurs du gouvernement produisent une information aux antipodes de nos objectifs politiques ? Alors, muselons la science gouvernementale ! Éliminons les programmes et les organismes qui génèrent des données, et réduisons au silence les chercheurs qui restent quand leurs conclusions contrarient nos desseins politiques. Le problème de la pêche à la morue n'était pas l'anéantissement des stocks, mais plutôt le fait que les chercheurs du gouvernement avaient découvert les raisons de cet anéantissement. Le problème n'était pas que le MPO avait ignoré les avertissements, mais plutôt que ces avertissements avaient été émis. Le cabinet de Stephen Harper adore vanter l'efficacité d'une procédure politique bien rodée, rationnelle; or, rien n'est plus efficace qu'un gouvernement débarrassé de toute source de données conflictuelles, n'est-ce pas? Une fois encore, la logique de Harper est à l'œuvre: si une information tangible et irréfutable vient faire de l'ombre à une politique lucrative, particulièrement dans le secteur de l'extraction des ressources, tirez sur le messager.

Cette inversion ne s'est pas produite du jour au lendemain, bien sûr. Les Canadiens restent convaincus pour la plupart de la valeur des données empiriques et de la supériorité des politiques établies à l'aune de la science. Le passage de la période des Lumières vers cette obscure politique de l'autruche a été lent et erratique, plein de faux départs, de curieux retournements et de perturbations. Le portefeuille d'Environnement Canada après sept années de gouvernement Harper en constitue peut-être le meilleur exemple. Son détenteur incarne très bien cette longue série de ricanements et de haussements d'épaules, de réflexions *a posteriori* et de dégradations, de régressions volontaires, bref, de tous ces actes en vertu desquels ce portefeuille autrefois central s'est avili pour ne plus être que celui de l'apologiste en chef de l'extraction des ressources à tire-larigot.

Quand le premier gouvernement minoritaire de Harper a pris le pouvoir, en 2006, le portefeuille de l'Environnement a été offert sans la moindre planification à Rona Ambrose, une députée qui n'avait même pas passé trois ans sur les bancs du parlement et dont l'expérience en matière d'environnement ou de science en général était proche du néant. Soit Harper accordait à ce ministère si peu d'importance qu'il présumait que le reste du pays et le monde entier partageaient son dédain, soit il a amorcé son travail de sape de manière presque trop ambitieuse, trop brutale, le confiant à l'un des membres les plus inexpérimentés de son cabinet.

Mais que son choix ait été guidé par la malveillance ou la simple négligence (ou les deux), la nomination d'Ambrose constituait un désastre absolu et une véritable honte sur la scène internationale – rien que puisse se permettre un gouvernement minoritaire, et donc vulnérable. Chargée d'appliquer un plan environnemental totalement incohérent, Ambrose se montre incapable de le comprendre et de l'imposer à la Chambre des communes et aux Canadiens, alors que les questions environnementales, changements climatiques en tête, occupent tous les esprits et se retrouvent au premier rang des priorités du public dans les sondages d'opinion. Ambrose apparaît mal préparée aux audiences – un texte publié sur le site Web du Parti vert compte pas moins de huit grosses erreurs factuelles dans un seul extrait de son exposé, et à une occasion au moins un sous-ministre adjoint a dû la corriger au milieu d'une présentation. Et ce n'est rien comparé à ses prestations dans les sommets internationaux. Lors d'une rencontre des ministres de l'Environnement au Kenya, en 2006, elle s'engage dans une guerre de mots totalement vaine avec la France, dont le gouvernement louange le Québec pour sa gestion responsable de l'environnement. Plus tôt cette année-là, Ambrose a annulé à la dernière minute une entrevue avec l'éditorialiste Don Martin, du *National Post*, parce que celui-ci avait refusé de promettre qu'il ne poserait pas de questions sur les émissions de gaz à effet de serre ou sur le protocole de Kyoto. « Cela reviendrait à promettre au ministre de la Santé de ne pas parler de la Loi canadienne sur la santé ou au ministre de la Justice de ne pas évoquer le Code criminel, écrit Martin. La grande question, pour ne pas dire la seule, que va devoir se poser Ambrose dans les mois à venir est la suivante : Kyoto est-il mort ou vif ? »

Début janvier 2007, moins d'un an après avoir été nommée, Rona Ambrose est poussée vers la sortie. Dans un article du *Globe and Mail* paru quelques mois plus tard, la journaliste Jane Taber recueille les propos de proches et de confidents d'Ambrose, qui, tous, font porter au Cabinet du premier ministre la responsabilité de la piètre performance de la ministre. « Ils reprochaient au Cabinet non seulement de ne pas l'avoir soutenue, écrit Taber, mais aussi de n'avoir pas eu la moindre idée de la manière de gérer un plan environnemental. »

Pour la remplacer, Harper désigne John Baird, un politicien combatif et un proche allié. « Nous devons faire davantage pour l'environnement », avoue Harper devant des journalistes. Baird entre en fonction sans renier son penchant pour les déclarations fortes et la bagarre. Il est clair qu'il a reçu le mandat de redorer la crédibilité du gouvernement dans le dossier clé de l'environnement, alors que Harper, voyant se profiler de nouvelles élections, adopte une position plus modérée. Trois mois à peine après sa nomination, John Baird participe à une conférence internationale sur le climat en Allemagne. Il y promet d'instaurer un plan d'action pour la réduction des gaz à effet de serre qui sera « parmi les plus ambitieux de la planète », dans le but avoué d'atteindre les objectifs de Kyoto. Il lamine impitoyablement le bilan des libéraux en la matière, tirant avantage du fossé entre la rhétorique de leur gouvernement et la timidité des actions entreprises sous Jean Chrétien pour lutter contre les changements climatiques. « Il faut vraiment passer à l'attaque », martèle Baird sans relâche. Il s'engage également à faire du Canada un leader mondial des « nouvelles technologies vertes ». Au cours d'une conférence de presse tenue un an après son entrée en fonction, Baird fait l'éloge d'un nouveau rapport de la Table ronde nationale sur l'environnement et l'économie (TRNEE), qui presse le gouvernement de prendre un virage musclé vers une économie privilégiant les faibles émissions de carbone. « Notre gouvernement reconnaît que les changements climatiques constituent un des principaux problèmes auxquels est actuellement confrontée la communauté internationale, annonce Baird. Nous avons agi en leaders en entreprenant des actions réelles pour nous attaquer à ce problème et une bonne partie (sic) de ces actions sont maintenant recommandées dans le rapport de la TRNEE. Nous reconnaissons que nous devons travailler de concert avec la communauté internationale, qu'il est primordial de s'assurer que le maintien de nos politiques va au-delà du court terme, que le déploiement des technologies est impératif et qu'une approche intégrée à l'égard des changements climatiques et de la pollution atmosphérique devrait être mise en œuvre. »

Nous sommes loin des incertitudes et des ambiguïtés de l'humiliant passage d'Ambrose à l'Environnement. Baird est un chevalier vert en croisade, qui positionne son ministère comme un incontournable redresseur de torts après une génération de libéraux qui n'ont rien fait d'autre que de se traîner les pieds. On chercherait en vain aujourd'hui une telle orientation, alors que la TRNEE compte parmi les victimes collatérales du projet de loi C-38 ; et il serait tout aussi farfelu d'entendre John Baird s'inquiéter des changements climatiques que de l'entendre louanger une initiative du NPD. Cela montre à quel point la réaction de Harper a été lente dans le dossier environnemental. Formant un gouvernement minoritaire, les conservateurs avaient un besoin désespéré de convaincre les Canadiens qu'ils partageaient leurs valeurs et leurs préoccupations, qu'ils accordaient la même priorité qu'eux à la gestion responsable de l'environnement – particulièrement la santé écologique, la pureté de l'air et les changements climatiques – et qu'ils avaient la même confiance en la primauté de la science.

Les conservateurs sont de nouveau minoritaires après les élections de 2008, et ils retournent au parlement avec un nouveau ministre de l'Environnement qui, à bien des égards, est encore plus puissant que Baird. Jim Prentice est un pur produit de l'aile progressiste-conservatrice du parti, un allié essentiel qui a activement contribué à la fusion du Parti conservateur et du Parti réformiste. On l'a longtemps vu comme un successeur potentiel de Stephen Harper à la tête du parti. Prentice est peut-être loyal, mais ce n'est pas une marionnette. Il a des idées sur la politique, et aucun doute n'est possible quant à ses convictions. La nomination de Prentice à l'Environnement laisse penser que Harper cherche pour cette fonction une voix forte, quelqu'un qui peut protéger son gouvernement minoritaire des accusations de négligence, et ce, même s'il est en train de négocier un virage radical qui va aboutir à l'abandon des engagements de Kyoto. Ou peut-être a-t-il besoin de quelqu'un qui soit assez fort pour imposer cette réorientation, mais pas assez pour prendre le dessus, un bon soldat capable de gagner la bataille, mais qui tomberait au combat. Ou peut-être cherche-t-il les deux à la fois.

Une chose est sûre : Prentice est une figure puissante, polarisante. L'événement emblématique de son passage au ministère de l'Environnement, c'est la Conférence de Copenhague sur le climat, en décembre 2009 – conférence où, sous les projecteurs du monde entier, on doit renégocier un accord international sur le climat remplaçant le protocole de Kyoto. La délégation canadienne n'a aucune intention de signer un nouveau traité international. Prentice fera là un boulot de brute : soutenir la ligne rhétorique du gouvernement sur la nécessité de prendre des mesures fortes contre les changements climatiques, tout en faisant un pied de nez à la communauté environnementale internationale, en méprisant ses alliés de longue date derrière un beau sourire de façade exprimant sa solidarité à la grande cause, et blâmant la Chine et les États-Unis pour leur propre manque de conviction. Prentice doit accomplir tout cela en territoire franchement hostile : le gouvernement canadien est traité comme un véritable paria à Copenhague, où tous le dénoncent pour avoir fait dérailler les négociations. Le pays est vilipendé pour l'affaiblissement de ses engagements vis-à-vis du protocole de Kyoto.

Avant même d'arriver, Prentice a été victime d'un canular qui a attiré l'attention des médias du monde entier. Les Yes Men, mystificateurs notoires, ont émis un faux communiqué de presse sur du papier à en-tête d'Environnement Canada, clamant que le pays revoyait à la hausse ses objectifs de réduction des gaz à effet de serre. L'annonce, publiée à partir d'un faux compte Twitter au nom de Jim Prentice, a été suivie d'un faux démenti apparaissant sur un site contrefait d'Environnement Canada. Le Réseau action climat lui a aussi décerné *in absentia* un prix Fossile du jour pour avoir affirmé, lors de sa préconférence, que le Canada ne se laisserait pas détourner de ses objectifs par « tout le tapage médiatique entourant Copenhague ». Avant même de poser le pied au Danemark, Prentice suscitait déjà bien des moqueries dans certains cercles.

Rien pourtant ne porte à rire dans la déclaration officielle de Prentice à Copenhague. Son discours dure à peine trois minutes et aligne les platitudes habituelles. Le gouvernement canadien est là pour « s'assurer que l'accord sur les changements climatiques sera juste, efficace et exhaustif ». Le Canada cautionne toute « croissance économique durable à faibles émissions de carbone ». L'« importance de notre secteur énergétique pour répondre à la demande mondiale », toutefois, ne doit pas être négligée. Prentice livre un discours « préemballé » sur le ton monotone et officiel d'un bulletin météo. Souvent, il lit directement le papier posé devant lui, le regard baissé sur sa feuille presque aussi longtemps que levé vers le public. Sa voix se brise un peu dans les passages où il évoque la nécessité d'une coopération américaine dans tout futur accord sur le climat. Sa mine et le son de sa voix font penser à un étudiant têtu que l'on force à lire devant un auditoire impitoyable un texte qu'il n'aime pas et qui n'a pour lui aucun sens.

Quelques mois avant de se livrer à son numéro de fidèle ministre prêt à réciter par cœur n'importe quelle platitude, Prentice a adopté une attitude beaucoup moins conciliante lors d'une rencontre avec le premier ministre de l'Alberta, Ed Stelmach, et son ministre de l'Environnement, Rob Renner. Dans les notes que la Presse canadienne a obtenues longtemps après cette rencontre de septembre 2009, Prentice dit à ses collègues albertains que « des signaux de prix appropriés » sont essentiels pour atteindre les objectifs que s'est fixés le pays en matière d'émissions de gaz à effet de serre, les avertissant que le gouvernement fédéral entend instaurer un « système de plafonnement et d'échange soigneusement conçu » pour fixer le prix du carbone. Quelques semaines plus tard, le 5 novembre 2009, Prentice rencontre l'ambassadeur des États-Unis, David Jacobson, et lui confie que, si l'Alberta et son industrie pétrolière n'adoptent pas de leur plein gré une législation environnementale plus sévère, il est prêt à « imposer une loi environnementale fédérale » – c'est ce qu'explique Jacobson dans un câble détaillant la rencontre qu'il a envoyé à Washington, et qui sera plus tard rendu public par WikiLeaks. Prentice raconte aussi à Jacobson qu'il a été très étonné, lors d'un récent voyage en Norvège, par la virulence des critiques à l'égard de l'industrie pétrolière albertaine. Le gouvernement canadien a « trop tardé » à réagir à ces attaques, dit-il, et il a « échoué à évaluer la gravité de la situation ».

Voilà dans quel état d'esprit se trouve Prentice alors

qu'il prépare son voyage à Copenhague : troublé par la réputation de dernier de classe que traîne le Canada, plein de reproches à l'égard de sa propre province et du gouvernement qu'il représente pour leur intransigeance par rapport aux émissions de gaz à effet de serre et à la protection de l'environnement, choqué par les conséquences désastreuses de tout cela sur la réputation internationale autrefois sans tache du Canada. Mais quelles que soient ses pensées alors qu'il récite comme un automate son discours dans la salle de conférence de Copenhague, rien ne transparaît, et il incarne parfaitement le bon petit soldat, n'affichant pas le moindre doute, ne disant rien du prix du carbone ni de la mauvaise compréhension dont fait preuve le gouvernement canadien quand il s'agit d'évaluer l'étendue et l'urgence de la crise climatique.

Une fois rentré au Canada, cependant, Prentice se remet en mode « combat ». Devant un parterre d'hommes d'affaires dans sa ville de Calgary, début février 2010, le ministre revient sur son inquiétude au sujet de l'image du Canada – inquiétude qu'il a partagée avec l'ambassadeur américain. « L'exploitation des sables bitumineux et l'empreinte écologique de ces activités industrielles sont devenues un sujet d'intérêt international, au point qu'ils transcendent maintenant les intérêts de n'importe quelle entreprise, annonce Prentice. Ce qui est en jeu sur la scène internationale, c'est la réputation de notre pays. »

Le cœur de son discours mérite d'être reproduit intégralement ; c'est sans aucun doute la déclaration la plus ouvertement critique qu'aucun ministre de l'ère Harper ait prononcée sur l'industrie de l'extraction des ressources. Voici ce qu'en dit Prentice :

> Ce n'est pas un secret, et personne ne doit être surpris de constater que la perception générale des sables bitumineux est profondément négative, au Canada et sur la scène internationale. Nous devons continuer à accomplir un travail positif sur cette industrie, en investissant dans des technologies environnementales qui prouveront au monde entier que la responsabilité et l'excellence environnementales peuvent atteindre de nouveaux sommets. Sans ce type de direction, nous serons perçus comme l'exemple parfait du pays qui exploite ses ressources sans respecter l'environnement. Les Canadiens attendent et méritent mieux que cela. Que ceux d'entre vous qui doutent que le gouvernement du Canada ait suffisamment de volonté et d'autorité pour protéger ses intérêts nationaux en tant que « superpuissance de l'énergie propre » y pensent à deux fois. Nous les avons et nous continuerons de les avoir. [...] La façon dont nous gérons les questions environnementales après Copenhague déterminera l'avenir du Canada et notre réputation sur la scène internationale.

Voilà ce que dit le ministre de l'Environnement, debout sur un podium, dans l'élégante salle de bal de l'hôtel Palliser, à Calgary. Il se trouve alors à quelques pâtés de maisons de la limite sud de sa circonscription, les tables à ses pieds sont pleines d'hommes d'affaires et de politiciens, et il a sans doute côtoyé la plupart d'entre eux tout au long de sa vie professionnelle. Difficile pour Jim Prentice d'imaginer une assemblée plus familière et amicale hors de son propre salon.

Six semaines auparavant, Prentice se tenait sur un autre podium, à Copenhague, où il débitait sur un ton d'écolier blasé un discours suintant le mépris du Canada envers ses engagements de Kyoto, où il parlait au nom d'un gouvernement largement perçu comme l'un des plus ouvertement hostiles à l'idée d'une action internationale sur les changements climatiques. Mais devant cette salle qui lui est acquise, à Calgary, le regard plongé dans ce parterre de visages connus, Jim Prentice se vante-t-il de ce fait d'armes devant ces rois du pétrole bitumineux qui vouent une haine sans nom aux environnementalistes de Copenhague ? Jubile-t-il à l'idée que son gouvernement se libère enfin des chaînes de Kyoto, un traité à ce point honni en Alberta qu'il figure aux côtés du Registre canadien des armes à feu et de la Commission canadienne du blé sur un autocollant pour pare-chocs très populaire désignant trois choses qui devraient être abolies pour « protéger l'Ouest » ? Cherche-t-il à amuser la galerie, à faire vibrer la salle par quelques phrases bien tournées, à soulever quelques applaudissements amicaux après l'épreuve de Copenhague ? Non. Au lieu de cela, il affirme que la direction environnementale du Canada est lamentablement insuffisante, que l'industrie à laquelle sa propre ville doit la prospérité est en train de faire de ce pays le symbole absolu de la destruction environnementale. Il réprimande, il provoque, il assène les mots les plus dramatiques qui soient. La manière dont les gens rassemblés ce soir-là dans la salle de bal du Palliser vont relever le défi des changements climatiques *déterminera l'avenir du Canada*. À Calgary, alors que le souvenir de Copenhague est encore très vif dans son esprit, Jim Prentice montre qu'il n'a renoncé à rien.

« Ce n'était pas tout à fait Daniel dans la fosse aux lions, écrit quelques jours plus tard Paul Wells, l'éditorialiste de

Maclean's, mais il y avait quelque chose de Nixon en Chine dans tout cela. Voici un ministre de premier plan du cabinet Harper qui se permet de mettre la pression, du moins sur le plan rhétorique, sur l'industrie albertaine des sables bitumineux. » Wells note que le ton a varié à quelques reprises durant le discours, mais que, à la fin, « Méchant Jim » a pris le dessus dans une déclaration remarquable d'esprit critique. « C'était un langage d'une force inhabituelle venant de Prentice, ajoute Wells. Et cela pourrait très bien déboucher sur quelque chose de significatif. »

Quelques mois plus tard, en juin 2010, Prentice se rend à Haida Gwaii, un archipel situé au large de la Colombie-Britannique, pour y inaugurer une nouvelle aire marine nationale de conservation. Le gouvernement aussi bien que les groupes environnementaux voient dans l'ouverture de cette nouvelle réserve un tournant important, dans la mesure où elle protège aussi les eaux qui baignent les rives et l'intérieur des terres, reconnaissant ainsi l'interconnexion immuable de tout l'écosystème. Plus remarquable encore est le compagnon de voyage de Prentice : David Suzuki, le célèbre environnementaliste, critique virulent de Harper. Dans un documentaire que va présenter plus tard la CBC, Suzuki et Prentice explorent le nouveau parc marin en compagnie du chef de Haida Gwaii, Guujaaw. Assis sur un tronc de bois flotté échoué sur la plage, Suzuki admoneste Prentice sur les échecs de Copenhague.

« Il nous faut une nouvelle approche », répond Prentice, fidèle à la ligne du gouvernement. Suzuki admet que les environnementalistes doivent apprendre à s'engager dans des discussions moins conflictuelles, mais que les meneurs de l'industrie et de la politique doivent de leur côté « comprendre qu'il y a urgence ». Prentice y va alors de quelques phrases vides sur l'amour des Canadiens pour les « activités de plein air ».

Suzuki : « S'il vous plaît, dites-moi que vous comprenez que le climat est un problème urgent. Ça ne peut pas être juste… »

Prentice : « Oh, je comprends parfaitement que le climat pose un problème urgent. »

Plus tard cet été-là, coiffé d'une tuque de laine tressée, Prentice fait le pitre devant des journalistes lors d'une séance photo dans l'Arctique. « J'ai le meilleur boulot du gouvernement », lance-t-il.

À la fin de l'été, Prentice renoue avec la langue de bois gouvernementale alors qu'il prépare le nouveau tour de pourparlers de l'ONU sur le climat, qui doit se tenir à Cancún. Dans une entrevue qu'il accorde à la Presse canadienne à la fin septembre, il admet ne pas se faire beaucoup d'illusions quant à la possibilité d'en arriver à une nouvelle entente internationale cette année-là.

Quelques semaines plus tard, le 4 novembre 2010, Jim Prentice démissionne sans préavis de ses fonctions de ministre et de député. Bruce Cheadle, de la Presse canadienne, qualifie cette démission de « sortie remarquablement secrète », observant que le collègue de Prentice au Cabinet, Tony Clement, ne l'a apprise – sur Twitter – que cinq minutes avant son annonce. « Les raisons pour lesquelles Prentice part maintenant ne semblent pas si mystérieuses », écrit Cheadle. Son portefeuille traverse une zone de calme plat. Plus rien de ne passe.

« Stephen Harper a perdu son meilleur "fixer" politique », résume l'éditorialiste Don Martin, parlant du départ de Prentice. L'intérim est assuré par John Baird, cet agitateur professionnel qui, au sommet de Cancún sur le climat en décembre, aboie contre les progrès médiocres de la Chine en matière de réduction des gaz à effet de serre, et à qui les environnementalistes du monde entier décernent dans la foulée cinq Fossiles du jour ! Le mois suivant, Peter Kent, député novice, se voit confier le portefeuille de l'Environnement, et le printemps suivant, Stephen Harper obtient enfin son gouvernement majoritaire. La guerre à la science peut commencer pour de bon.

Lorsque le projet de loi C-38 est voté, un an plus tard, Jim Prentice (et à plus forte raison Robert Borden) a sûrement du mal à reconnaître la position du gouvernement sur la science et la gestion responsable de l'environnement. En tant que chef d'un gouvernement minoritaire, Stephen Harper a tout juste osé s'attaquer à cette tradition des Lumières si chère à Borden d'instaurer des politiques indépendantes, reposant sur la preuve scientifique. Une fois à la tête de cette « majorité forte et stable » qu'il a attendue si longtemps, Harper peut enfin sauter sur l'occasion de réduire en miettes cet héritage. Les miettes qui valent la peine d'être épargnées vont devenir des jouets aux mains d'un gouvernement centralisé, pour lequel la fonction de toute politique est d'abord de répondre aux objectifs immédiats des députés de premier rang. Quant aux miettes que la minorité de Harper avait trouvées particulièrement indigestes, elles seront jetées dans les poubelles de l'oubli. Qu'elles débarrassent le plancher, ces vilaines ordures, avec toute cette science qui gêne. Bon débarras !

4

L'ère de l'aveuglement volontaire

La science sous la majorité Harper

De mai 2011 à aujourd'hui

Durant les années minoritaires, l'instauration des politiques inspirées du plan Harper a eu sur la plupart des services gouvernementaux, et sur le pays en général, la même incidence que sur le ministère de l'Environnement. Tout est arrivé par petites vagues, par à-coups, par bribes, sous forme de réduction des coûts et de mesures d'austérité pour cause de conjoncture économique difficile. On parlait d'efficacité, de dédoublement et de gestion éclairée, d'amélioration du rendement et de bon sens. Coupes budgétaires, fermetures de bureaux et révisions de programmes, bien dispersées sur le calendrier, passaient presque inaperçues – des changements tout sauf innocents, des vaguelettes dans le grand océan tourmenté d'un gouvernement aux prises avec la pire crise économique à frapper depuis près d'un siècle.

Ce serait faire insulte au formidable talent politique de Stephen Harper et de son équipe que de supposer que tout cela est purement fortuit. Les membres de la garde rapprochée du premier ministre ont sûrement compris qu'ils rompaient avec de solides traditions, qu'ils s'attaquaient à des institutions vénérables et appréciées du public. Les employés d'Environnement Canada ont d'ailleurs averti la députée Michelle Rempel, secrétaire parlementaire du ministre de l'Environnement Peter Kent, dans des notes préparées en vue d'une rencontre avec des responsables de l'industrie pétrolière à la veille du dépôt du budget omnibus : « les réformes, une fois introduites, risquent d'être très controversées ». Le plan ne fonctionnera que s'il reste diffus, éclaté, en grande partie invisible. Il ne faut jamais que les Canadiens aient une vision claire de l'étendue du changement ; il ne faut jamais qu'ils puissent comprendre qu'ils assistent au démantèlement de l'appareil de prise de décision politique fondé sur la preuve scientifique. Le plan doit rester implicite, flou.

Même si les coupes dans les programmes et le bâillon imposé aux scientifiques du gouvernement sont dans les plans de Harper depuis 2006, ce n'est qu'après avoir obtenu la majorité en 2011 que ses véritables intentions en matière d'environnement deviennent évidentes. Après des années de détérioration et de réductions, après la honte de Rona Ambrose et le sursaut de Jim Prentice, la majorité conservatrice ne laisse plus planer l'ombre d'un doute sur ses intentions concernant le portefeuille de l'Environnement – qui est au mieux un mal nécessaire, une ridicule excroissance dans l'organigramme de Ressources naturelles Canada, une note en bas de page du secteur très sérieux de l'industrie et de l'économie. Joe Oliver, le ministre des Ressources naturelles, exprime assez clairement ce changement de priorités dans une lettre ouverte parue dans le *Globe and Mail* au début de janvier 2012, lettre que de nombreux groupes de défense de l'environnement interprètent comme une déclaration de guerre.

Les efforts du gouvernement visant à « diversifier nos marchés » pour l'exportation des ressources naturelles, avertit Oliver, risquent d'être bloqués par « certains groupes environnementaux et radicaux ». Il accuse les artisans de cette prétendue cabale de s'opposer à « tout projet d'envergure », qu'il soit forestier ou hydroélectrique ; mais sa lettre est surtout perçue comme un avertissement lancé en direction des audiences de l'Office national de l'énergie et de sa Commission d'examen conjoint du projet d'oléoduc Enbridge Northern Gateway. Ce dernier prévoit de faire cheminer le pétrole des sables bitumineux albertains à travers le nord de la Colombie-Britannique, et jusqu'au nouveau port pour superpétroliers de Kitimat – presque vis-à-vis des plages de Haida Gwaii, où, moins de deux ans auparavant, Jim Prentice et David Suzuki devisaient si agréablement au sujet de la protection de l'environnement au Canada. Ces groupes « menacent de détourner notre régime réglementaire en vue de réaliser leur programme idéologique radical. Ils veulent exploiter toutes les brèches qu'ils peuvent trouver, en envoyant beaucoup de gens aux audiences publiques pour garantir que cela fera reporter ou avorter le lancement de bons projets. Ils utilisent du financement fourni par des groupes d'intérêt spécial étrangers pour saper les intérêts économiques nationaux du Canada ». Notre régime réglementaire pour les grands projets liés aux ressources, conclut Oliver, « est brisé, et il est temps de l'examiner. C'est une question d'intérêt national urgente pour le Canada ».

L'argument d'Oliver se fonde sur un fait vérifiable :

environnementalistes et groupes d'intérêt ont invité les citoyens à venir témoigner massivement devant la Commission d'examen conjoint du projet Enbridge Northern Gateway. De nombreux Canadiens ont répondu à l'appel. Et s'il est vrai que des organismes philanthropiques américains ont fait de généreuses donations à certains groupes, il est vrai aussi que cela n'a rien de nouveau. Ces groupes n'ont pas inventé l'inquiétude des Canadiens au sujet des risques environnementaux liés à l'oléoduc. Pendant des mois, l'industrie et le gouvernement ont martelé que cet oléoduc était un projet d'infrastructure national comparable à celui de la voie maritime du Saint-Laurent. Sauf qu'il traversera 1 100 kilomètres de terres sauvages et de territoires appartenant aux Premières Nations, et qu'il ouvrira une voie maritime pour le transport du pétrole qui fera planer le spectre d'un déversement sur une très longue portion de la côte britanno-colombienne. Oliver est-il vraiment surpris que les Canadiens se mobilisent contre ce projet ? Et le fait que les centaines de personnes qui participent bénévolement à la contestation soient perçues par Oliver comme de simples obstacles sans visage sur le chemin du projet indiscutable de Harper en dit long sur l'attitude de son gouvernement envers les citoyens qu'il représente.

On trouve tout de même dans cette lettre au ton exagérément dramatique un petit éloge propre à calmer les esprits et à favoriser des prises de décision plus rationnelles – un passage placé là de toute évidence sans intention ironique : « Notre régime réglementaire doit être équitable et indépendant, et il doit tenir compte de divers points de vue, notamment de ceux des communautés autochtones, il doit examiner calmement les faits et ensuite trancher la question de manière objective. Il doit être fondé sur les sciences et les faits. » Peu de gens savent, à l'exception des proches collaborateurs du premier ministre, que le moment choisi pour cette déclaration ne fait qu'ajouter à l'ironie de la situation. La lettre d'Oliver paraît au moment précis où le Groupe des neuf, composé de ministres et de parlementaires triés sur le volet, achève sa révision des programmes gouvernementaux, préambule au vote d'une loi omnibus sur le budget qui constitue le pire camouflet qu'ait jamais essuyé la tradition inaugurée par Borden d'une stratégie politique indépendante et objective. Les outils indispensables à l'étude de l'impact environnemental de l'oléoduc et destinés à assurer sa sûreté s'il venait à être construit – évaluations d'impact environnemental, expertise quant à l'habitat des poissons, stations de surveillance, équipes d'intervention rapide dans le nord de la Colombie-Britannique – sont condamnés plus ou moins à disparaître dans le projet de loi C-38. Oliver monte au créneau pour défendre ce régime réglementaire que ses collègues sont déjà en train de démanteler ; il réclame précisément ce type d'examen objectif qu'ils refusent d'offrir.

L'attitude du Groupe des neuf envers l'expertise, qu'elle soit scientifique ou autre, est typique du plan Harper. Dans des déclarations ronflantes, Oliver en appelle à la science et aux faits, à l'analyse objective et à la diversité des points de vue – sauf que les ponctions que prévoit le budget 2012 sont le fruit non pas d'une évaluation des experts et des cadres du gouvernement pour chaque ministère ou programme touché, mais d'une consultation avec les acteurs les plus intéressés et les moins objectifs qui soient : les industriels œuvrant dans les secteurs dont la réglementation est à l'étude. Dans une lettre commune adressée à Peter Kent et à Joe Oliver en décembre 2011, par exemple, quatre grands groupes de lobbyistes représentant les intérêts de l'industrie pétrolière et gazière demandent qu'on apporte des modifications à six lois de premier plan – la Loi sur les pêches, la Loi sur l'Office national de l'énergie, la Loi canadienne sur l'évaluation environnementale, la Loi sur les espèces en péril, la Loi sur la Convention concernant les oiseaux migrateurs et la Loi sur la protection des eaux navigables – afin d'améliorer l'application de la réglementation dans leur secteur. Et lors d'une rencontre avec Louis Lévesque, le sous-ministre du Commerce international, des représentants de l'Association canadienne de pipelines d'énergie exercent des pressions pour que la Loi sur la protection des eaux navigables soit modifiée. Dans des notes d'information adressées à un représentant d'Environnement Canada participant à un événement de l'industrie pétrolière, au début de 2012, des fonctionnaires du gouvernement reconnaissent que l'Association canadienne des producteurs pétroliers (ACPP) a fortement suggéré l'adoption d'une loi omnibus – qui réduirait considérablement le temps accordé aux Canadiens pour évaluer les changements et au Parlement pour en débattre – au lieu d'amendements fragmentaires au régime réglementaire fédéral gouvernant l'industrie.

Quand des journalistes révèlent au grand jour ces délibérations, grâce aux lois sur l'accès à l'information, le porte-parole du gouvernement admet que des fonctionnaires d'Environnement Canada et de Ressources naturelles Canada ont rencontré des représentants du secteur énergétique tout au long de l'automne 2011, mais soutient que ces réunions reviennent périodiquement. Le porte-parole de Joe Oliver ajoute que le ministre a aussi rencontré des représentants de Greenpeace et de la Fondation David Suzuki. Quoi qu'il en soit, la réglementation sur l'industrie de l'énergie subit en 2012 une réforme majeure en vertu des projets de loi omnibus visant spécialement les six lois que les représentants de l'industrie estimaient problématiques. Le secteur énergétique obtient exactement ce qu'il voulait. Les défenseurs d'une meilleure gestion de l'environnement sont scandalisés, car tout ce qu'ils trouvent dans les projets de loi sur le budget vient confirmer leur interprétation de la lettre ouverte de Joe Oliver. Il n'y aura plus de balade sur la plage avec David Suzuki. Majoritaire, le gouvernement conservateur se montre franchement défavorable à la cause environnementale, méprisant envers les sciences de l'environnement et indifférent à l'avis qu'ont sur ces questions les experts, passés et présents.

« C'est la loi la plus hostile à l'environnement que nous ayons eue depuis des décennies », s'insurge Rick Smith, directeur général de l'organisme Environmental Defence dans une entrevue au *Washington Post* après le vote de la première loi omnibus. « Il est manifeste que bon nombre de ces changements ont pour but d'expédier des propositions de pipelines qui, sans cela, ne passeraient pas. C'est un formidable cadeau fait aux pétrolières. »

Aux yeux de Rick Smith, le projet de loi budgétaire omnibus constitue un changement de ton tout à fait saisissant. Son organisation, l'une des plus modérées et des plus influentes dans la communauté des ONG environnementales au Canada, a toujours travaillé en étroite collaboration avec les conservateurs lorsqu'ils étaient minoritaires, les aidant à concrétiser d'importantes avancées législatives en matière de lutte contre les produits toxiques pour l'environnement – notamment, l'interdiction préventive d'un cancérigène, le bisphénol A (BPA), dans les biberons avant même que Santé Canada ait terminé ses études de toxicité. « On a fait beaucoup de choses avec ce gouvernement », me dit Smith en avril 2012, quelques mois après le dépôt du projet de loi C-38. « Je me retrouve dans cette situation bizarre d'avoir travaillé main dans la main avec ces gars et d'avoir bien avancé dans des dossiers, comme ceux sur la réglementation des polluants chimiques. Mais là, depuis janvier, ils sont en guerre ouverte contre les environnementalistes. Un point, c'est tout. Ils deviennent sourds dès qu'on aborde le thème des changements climatiques. Lors du dernier budget, ils ont continué leur travail de sape envers les scientifiques du gouvernement fédéral. »

Il est possible que Stephen Harper et ses proches aient radicalement changé leur manière de penser. Et il est sûr que l'on assiste à un retournement important dans le ton et la stratégie. À l'époque où les conservateurs étaient minoritaires, Jim Prentice a collaboré étroitement avec les groupes environnementalistes pour éliminer les polluants chimiques. Mais, devenu majoritaire, le gouvernement conservateur conçoit son projet de loi budgétaire comme une liste de souhaits destinée à l'industrie de l'extraction des ressources et il envoie Joe Oliver déclarer la guerre aux environnementalistes radicaux dans les pages du *Globe and Mail*. Alors, oui, peut-être le cabinet du premier ministre a-t-il changé de direction pour des raisons qui n'ont rien à voir avec son désir de garder le pouvoir à l'époque où il dépendait d'une minorité vulnérable.

Mais l'explication la plus plausible reste que ce programme d'un gouvernement majoritaire était dans les cartons de Harper dès le départ. Après tout, l'attitude des conservateurs vis-à-vis des questions environnementales frôlait déjà le mépris durant le bref passage de Rona Ambrose à l'Environnement, du moins jusqu'à ce qu'ils soient rattrapés par la nécessité de manifester un intérêt de pure forme pour satisfaire la conscience verte de l'électorat. Ils ont même permis que quelques projets de loi clés soient adoptés, pourvu qu'ils n'aient pas d'impact direct sur le très lucratif commerce des ressources ; le bisphénol A, par exemple, n'est pas un produit d'exportation de premier plan pour le Canada. Mais même quand ils étaient minoritaires, les conservateurs s'opposaient catégoriquement aux environnementalistes sur les questions fondamentales – le protocole de Kyoto, bien sûr, mais aussi les problèmes de ressources plus modestes, comme la poursuite de l'exportation de l'amiante cancérigène d'Asbestos.

Quand finalement ils obtiennent les pleins pouvoirs, ils se lancent dans un véritable saccage des mesures de saine gestion environnementale. Ils réécrivent les lois au bénéfice des lobbys du pétrole et des entreprises de développement d'oléoducs. Ils ignorent les avis de tous les experts quand ceux-ci vont à l'encontre de leur projet de loi omnibus, que ces experts proviennent du gouvernement ou d'ailleurs, que ces avis émanent des agitateurs de Greenpeace ou d'anciens ministres des Pêches. Ils diabolisent tous ceux qui osent s'opposer à eux et n'hésitent pas à accorder à l'Agence du revenu du Canada un budget de 8 millions de dollars pour se livrer à des audits sur les organisations suspectées d'être financées par des « radicaux étrangers » – les seuls, insistent-ils, à s'opposer farouchement à leur programme.

Même les avertissements des alliés d'autrefois et des pionniers du parti ne réussissent pas à faire plier Harper une fois que celui-ci a obtenu une majorité forte et stable. Le fondateur du parti du premier ministre et le dernier conservateur à avoir occupé son poste se sont tous deux exprimés en faveur d'une approche plus modérée en matière de gestion responsable de l'environnement. Harper les a ignorés. « Au début du mandat du premier ministre, Preston Manning et Brian Mulroney ont fait valoir que le chemin le plus vert était aussi le plus sûr pour qui veut instaurer une stratégie économique fondée sur les ressources, écrit Chantal Hébert dans le *Toronto Star*. Preston Manning a longtemps soutenu qu'un mouvement conservateur décidé à se tailler une place sur l'échiquier politique devrait d'abord maîtriser la question environnementale. Brian Mulroney, de son côté, a déjà eu un avant-goût de la dynamique des débats où s'affrontent politique énergétique et environnement à l'époque de la controverse sur le projet hydroélectrique de Grande-Baleine. » Et, bien que Chantal Hébert ne le mentionne pas, Brian Mulroney, comme je l'ai déjà dit, a été l'instigateur de la stratégie de protection de l'environnement la plus dynamique et la plus efficace de l'histoire du Canada – une époque au cours de laquelle les députés de l'opposition étaient cordialement invités à participer aux réunions de Genève sur le climat et où la future chef du Parti vert siégeait parmi les hauts fonctionnaires du ministère de l'Environnement. Mais ni les leçons de Preston Manning ni celles de Brian Mulroney ne seront prises en considération, et la terrible prophétie de

Jim Prentice, énoncée devant la crème des hommes d'affaires de Calgary, vient de se réaliser sous le gouvernement qu'il vient de quitter : *nous serons perçus comme l'exemple parfait du pays qui exploite ses ressources sans respecter l'environnement.*

Avec Harper devenu majoritaire, chaque dossier donne lieu à une véritable bataille rangée. Des employés de Joe Oliver au ministère des Ressources naturelles lui font parvenir des notes l'informant que l'exploitation débridée des sables bitumineux, avec ses effets néfastes sur la forêt boréale et sur l'atmosphère de la Terre, « est devenue une menace pour l'image du Canada sur la scène internationale ». Jamais Oliver n'a transmis cet avertissement aux Canadiens. Les fonctionnaires d'Environnement Canada ont rédigé un document de trente-trois pages donnant des « exemples utiles et concrets » de l'impact des changements climatiques au Canada. Peter Kent n'en a partagé aucun avec le public. Le Comité consultatif d'experts sur les aliments, convoqué par Santé Canada, a recommandé au gouvernement de reprendre sa surveillance des taux de gras trans présents dans les aliments transformés, l'industrie ne semblant pas disposée à les réduire sur une base volontaire. Leona Aglukkaq, la ministre de la Santé, n'a pas tenu compte de ces recommandations. On a aussi interdit aux scientifiques dont les recherches sur la destruction de la couche d'ozone et le déclin des stocks de saumon sont financées par le gouvernement de parler de leurs découvertes à la presse ou au public. La Table ronde nationale sur l'environnement et l'économie (TRNEE) s'est exprimée sur la pertinence d'imposer un prix sur les rejets de dioxyde de carbone (une recommandation approuvée par 250 professeurs d'économie au pays) ; le gouvernement a alors dissous la TRNEE. Voilà ce que disait John Baird, actuellement ministre des Affaires étrangères, au sujet de cet organisme lors de la période de questions du 15 mai 2012 : « Pourquoi les contribuables devraient-ils payer plus de dix rapports faisant la promotion d'une taxe carbone que les Canadiens ont massivement rejetée ? » Peter Kent a expliqué que ces analyses et ces expertises ne servaient plus à rien, n'y voyant qu'une relique « d'avant Internet, d'une époque où on ne trouvait que très peu de recherches et d'analyses domestiques indépendantes sur le développement durable ». Peu de temps avant que la TRNEE ne soit démantelée, début 2013, le gouvernement a verrouillé son site et tous ses dossiers, s'assurant ainsi que les rapports de l'organisme ne trouvent pas un public trop large. Quand Jeff Hutchings, expert international de la pêche de l'Université Dalhousie, vient témoigner devant une commission parlementaire de l'impact des changements climatiques et de l'aquaculture sur les eaux côtières du Canada, le député conservateur Robert Sopuck rétorque : « À mon avis, les scientifiques devraient s'en tenir à la science. »

Après que les autorités ont déjoué un présumé complot terroriste pour faire dérailler un train de Via Rail, en avril 2013, Stephen Harper a répondu à une journaliste qu'il ne serait bon pour personne de « faire de la sociologie » au sujet des conspirateurs. Devant cette insulte faite aux sciences sociales, le philosophe torontois Joseph Heath a établi pour le *Ottawa Citizen* un relevé détaillé de toutes les prises de position contradictoires relevées dans le projet de loi omnibus contre la criminalité. Heath note que la négation de l'information objective et de l'analyse experte dans le plan Harper sert des objectifs explicitement politiques. « En sa qualité d'ancien chef de cabinet de Stephen Harper, Ian Brodie a expliqué que la stratégie des conservateurs consistait en partie à dresser criminologues et autres intellectuels les uns contre les autres afin que les conservateurs puissent se positionner comme les défenseurs du bon sens. "Être attaqués par cette coalition nous a énormément aidés sur le plan politique, dit-il, parce que cela nous a permis de ne jamais vraiment débattre des preuves scientifiques qu'offraient les différentes approches de la criminalité." Compte tenu de cette stratégie, comment s'étonner que ce gouvernement perçoive comme un combattant ennemi quiconque manifeste son désir d'alimenter le débat sur les politiques de justice pénale en proposant de l'information ? »

Non contents d'écarter ou d'ignorer les preuves scientifiques qui leur sont défavorables, Harper et ses proches relèguent ceux qui recueillent de telles données dans une classe politique suspecte. Des experts chevronnés défendraient des intérêts particuliers dans le seul but de faire obstacle au plan Harper, et la vérité elle-même se dresserait contre les objectifs politiques de son gouvernement. La science, la recherche et les conclusions vérifiées par les pairs sont cataloguées comme ennemies du bon sens. « L'hostilité envers l'expertise sous toutes ses formes est ce qui rapproche le plus les conservateurs canadiens d'une idéologie unificatrice », conclut Heath.

Dans les années de gouvernement majoritaire, toute critique interne équivaut à une mise hors la loi, et toute dissidence venue de l'extérieur à une trahison. À la Chambre des communes, les députés conservateurs d'arrière-ban ne prennent la parole que pour réciter par cœur des textes que leur a préparés le cabinet du premier ministre, ânonner des phrases toutes faites, crier, hurler, applaudir et huer sur commande. Ils considèrent que leur tâche la plus sérieuse consiste à rabaisser ce Parlement inopérant au rang de farce. C'est le triomphe d'une politique de bouffons, où adopter une position et ridiculiser ceux qui s'y opposent deviennent plus importants que toute discussion sur le contenu et les incidences d'un projet de loi, où la discipline de parti tient lieu d'unique stratégie, où marquer des points sur le plan rhétorique est la seule conclusion valable, où la loyauté constitue la seule valeur reconnue, et où obtenir le pouvoir et le conserver trônent au sommet des objectifs du gouvernement.

Quand apparaît sur le Web une vidéo du député conservateur David Wilks partageant avec ses électeurs ses inquiétudes sur le projet de loi C-38, et leur confiant qu'il envisagerait de voter contre si une dizaine de ses collègues faisaient de même, le bras vengeur de la loyauté partisane s'abat, prompt et sévère. Dans les heures qui suivent, Wilks désavoue toute opinion et tout geste dissidents issus de cette vidéo. « J'appuie ce projet de loi et toutes les mesures visant à favoriser l'emploi et la croissance pour les Canadiens de Kootenay–Columbia et du pays tout entier », déclare-t-il à la hâte dans une publication sur son site Web. Dans les semaines et les mois qui suivent, on n'entend plus rien venant de Wilks concernant le projet de loi C-38 ou tout autre sujet touchant la politique publique.

L'attitude du gouvernement majoritaire de Harper envers la critique venue de l'extérieur est clairement définie dans la lettre très manichéenne que Joe Oliver adresse aux adversaires des nouveaux projets d'extraction de ressources. Il y a d'un côté le point de vue du gouvernement et, de l'autre, celui des opposants, si contraire aux intérêts de la nation qu'il ne peut pratiquement venir que de l'étranger. Des observateurs, aussi bien canadiens qu'étrangers, qui regarderaient tout ça de l'extérieur penseraient que ce gouvernement voit un ennemi déclaré en tout individu qui s'inquiète des changements climatiques, de la santé des écosystèmes ou de la gestion responsable de l'environnement : en effet, avec la publication de la lettre d'Oliver, les conservateurs expriment leur profond mépris pour toutes ces choses – mépris qu'ils vont continuer d'affirmer avec de plus en plus de zèle. Même en 2007, alors que leur statut minoritaire les obligeait à accorder aux politiques environnementales une valeur symbolique, seuls deux membres du caucus conservateur avaient accepté de se rendre à une réception offerte en l'honneur des membres canadiens du Groupe d'experts intergouvernemental sur l'évolution du climat (GIEC), qui venait de recevoir le prix Nobel pour son travail sur les changements climatiques. Le gouvernement avait aussi, à cette époque, interdit aux scientifiques d'Environnement Canada de s'exprimer librement sur les questions écologiques sensibles, sabré le financement de la recherche sur l'environnement et des programmes de surveillance, et renié ses engagements envers le Protocole de Kyoto.

Puis est venu le geste de provocation d'Oliver envers quiconque jugerait absurde l'idée de dérouler sur un vaste territoire sauvage un oléoduc de 1 100 kilomètres qui empiéterait sur la souveraineté territoriale d'une quarantaine de nations autochtones, sur les frayères où viennent se reproduire des millions de saumons sauvages et sur l'habitat de prédilection du très rare ours Kermode. Mais ce n'est pas tout : cet oléoduc déboucherait sur un port de superpétroliers ouvert sur les voies d'eau pleines de pièges qui traversent l'une des dernières et des plus grandes forêts pluviales du continent. Le pipeline Northern Gateway est l'exemple parfait du projet qui fait peser sur chaque mètre de son tracé un risque écologique extrême. Il aura un impact sur presque tous les aspects environnementaux chers à la majorité des Canadiens, depuis la santé des écosystèmes d'eau douce jusqu'à la protection des merveilles naturelles en passant par la préservation de l'habitat et les dangers des changements climatiques. Malgré cela, manifester le moindre désaccord envers la position du gouvernement revient à prendre fait et cause pour les radicaux étrangers, à conspirer en vue de commettre une trahison. Et juste quand le débat tombe enfin dans la sphère publique, le gouvernement sape les fondements de l'appareil de réglementation environnementale dans ses projets de loi sur le budget et ne rate pas une occasion, en Chambre, d'attaquer l'opposition sur sa « taxe carbone mortelle pour l'emploi », suggérant ainsi que toute action sérieuse entreprise pour lutter contre les changements climatiques est forcément abjecte. Encore une fois, que peuvent en conclure les Canadiens, si ce n'est que le plan Harper refuse en toutes circonstances que les problèmes environnementaux l'emportent sur les considérations économiques ? Peut-être que la seule idée de prendre au sérieux les menaces pour l'environnement est en elle-même suspecte ?

Bien que le mépris railleur du gouvernement majoritaire de Harper pour la critique et la dissension d'opinions externes soit avéré, les conservateurs ne nous ont pas offert de spectacle plus absurde que quand ils s'en sont pris à la « taxe carbone mortelle pour l'emploi » lors des débats qui ont suivi le dépôt du projet de loi omnibus. Que le NPD n'ait pas proposé une taxe sur le carbone, mais plutôt un régime de plafonnement et d'échange des émissions de carbone en tous points semblable à celui qu'avaient réclamé les conservateurs lorsqu'ils étaient minoritaires n'est qu'une atteinte de plus à la logique de la part de ce gouvernement. Quand les journalistes ont demandé aux conservateurs de confirmer qu'ils avaient bel et bien recommandé la même stratégie, le directeur de cabinet du premier ministre n'a pas essayé de nier. « C'est le passé », a-t-il simplement répliqué, comme s'il s'agissait d'une bizarrerie insignifiante remontant à l'époque de Borden et non d'une position officielle martelée par Jim Prentice, le ministre de l'Environnement en 2009 (position d'ailleurs endossée par John Baird dans pas moins de neuf lettres publiées dans les plus grands journaux canadiens en 2008). Peu importe ce qui s'est dit il y a longtemps : contentez-vous d'écouter ce que nous disons maintenant, encore et encore, avec la précision et la fréquence d'un slogan vantant les mérites d'une chaîne de restauration rapide. *Taxecarbonemortellepourlemploi.*

Durant tout l'automne 2012, jour après jour à la Chambre des communes, les députés conservateurs prennent la parole l'un après l'autre, généralement pour répondre à une déclaration sur un tout autre sujet, afin de conspuer cette proposition qui n'en est pas une de « taxe carbone mortelle pour l'emploi », laquelle aurait des répercussions économiques dont le calcul de 20 milliards de dollars paraît totalement farfelu. Quand Gerry Ritz, le ministre de l'Agriculture, se lève à son tour avec son texte en main et récite sa déclaration bien apprise, il adresse en terminant un petit clin d'œil à l'autre côté de l'allée. (Dans les semaines qui suivent cette pitrerie parlementaire, Ritz va devoir se défendre contre des accusations de négligence alors que l'usine de conditionnement de la viande XL Foods de Brooks, en Alberta, rapporte une grave épidémie d'*E. coli* et doit procéder à un rappel massif.) Aaron Wherry, de *Maclean's*, qui a fait le compte du nombre de fois où des députés conservateurs ont mentionné la taxe carbone le 17 septembre 2012, a trouvé au moins douze occurrences à la Chambre des communes, dans la presse ou sur les médias sociaux. « Peut-être les conservateurs pensent-ils que vous êtes stupides, écrit Wherry. Ou peut-être, sans être aussi méchants, croient-ils simplement qu'ils sont plus intelligents que vous. Ou encore ils supposent que vous êtes assez cyniques – ou qu'un nombre suffisant d'entre vous l'est – pour pouvoir se permettre de poursuivre dans cette voie en toute impunité. Ou peut-être sont-ils terriblement confus. Mais, assis dans votre salon, vous ne devriez peut-être pas rigoler avec eux parce que, au bout du compte, c'est de votre tête qu'ils se fichent ! »

Cet épisode marque l'apothéose du cabotinage politique à l'ère du plan Harper, son expression la plus claire. Les faits sont dépourvus de tout intérêt. Il existe des preuves irréfutables que les conservateurs discréditent une stratégie qu'ils ont eux-mêmes défendue ? Qu'importe, cela fait partie intégrante de la farce. Le parlement est un chapiteau, et le gouvernement vient d'y présenter son meilleur numéro.

Les changements climatiques servent de toile de fond à ce spectacle burlesque, et les stratégies recommandées par les économistes pour y faire face font une excellente chute à ce gag. Les conservateurs répètent inlassablement cette bonne blague, partant de l'hypothèse que leurs partisans finiront par y voir un trait d'esprit prenant pour cible un truisme – que le NPD veut implanter une taxe carbone, que cela entraînera inévitablement la suppression de nombreux emplois et coûtera des milliards, et qu'en aucun cas leurs adversaires, ou tout imbécile assez stupide pour penser que l'imposition d'un prix sur les émissions de gaz à effet de serre est sensée, ne seront en mesure de ralentir leur marche implacable vers l'accomplissement de leur plan.

La méchante blague des conservateurs leur a toutefois valu un retour de bâton. À force de moqueries, ils ont tellement polarisé la discussion sur l'avenir énergétique et les politiques environnementales du Canada qu'ils ont offert une formidable plateforme de ralliement aux défenseurs de la lutte contre les changements climatiques, aux activistes anti-sables bitumineux, et à tous les opposants qui condamnent l'hostilité de ce gouvernement envers la réglementation et l'expertise scientifique en matière d'extraction des ressources. Keystone XL, le projet d'oléoduc « gagné d'avance » qui exigeait que l'on poursuive à une vitesse record l'expansion de l'exploitation des sables bitumineux albertains, a donné du Canada cette image même que redoutait Jim Prentice : l'exemple parfait du pays qui exploite ses ressources sans respecter l'environnement. Keystone XL est devenu un symbole de l'insouciance de l'industrie mondiale des combustibles fossiles quant à la santé de la planète et à la stabilité du climat. En adressant ce petit clin d'œil cynique à chaque Euro-écolo, enviroradical d'Hollywood, écosocialiste et grosse tête des sciences environnementales présent dans leur champ visuel, Harper et ses copains ont fait d'eux-mêmes des parias sur la scène internationale. Et leur impudent mépris pour tout cela atteint son apogée juste au moment où les conservateurs demandent au gouvernement américain et au reste du monde de les croire sur parole quand ils jurent que les oléoducs canadiens sont sécuritaires et que leurs projets pétroliers sont fidèles aux principes de la gestion responsable. Ils ont perdu toute crédibilité en matière de gestion environnementale en se livrant à un concert jubilatoire de provocations pile au moment où la poursuite de leur plan exigeait qu'ils fassent bonne figure.

« Le temps est venu pour l'Amérique d'agir sur les changements climatiques, semble-t-il », écrit le chroniqueur de *Postmedia News* Michael Den Tandt au début de 2013. « Or, les sables bitumineux de l'Alberta font un punching-ball remarquable, d'une grande visibilité. Martha Stewart est aux dérives du marché boursier ce que l'oléoduc Keystone XL est à la lutte contre les changements climatiques : une leçon d'infamie. Pour cela, il nous faut remercier les stratèges géniaux du cabinet du premier ministre et, dans une moindre mesure, le chef du NPD, Thomas Mulcair. Leur polarisation de la politique et leur manque de clairvoyance sont les premiers à blâmer si le Canada se retrouve dans cette situation. »

Il semblerait donc qu'il y ait un prix à payer pour s'être lancé à corps perdu dans cette politique d'effets de manches. À force de vous moquer du Parlement que vous présidez, vous finissez vous aussi par devenir un personnage de votre propre blague. Si vous négligez et dénigrez le travail du gouvernement que vous dirigez et en sapez le fonctionnement, vous réduisez votre capacité d'atteindre vos propres objectifs, au même titre que ceux que vous avez abandonnés sans état d'âme. Si vous confondez la politique avec le carnaval narcissique des numéros de cirque, vous pourriez bien à la fin être pris pour un clown.

Ce cabotinage politique a aussi un véritable coût financier. Jamais un gouvernement n'a englouti autant d'argent que les conservateurs dans des campagnes d'image et de slogans. Depuis 2009, le gouvernement a dépensé 113 millions de dollars en publicités et en affiches pour faire voir son Plan d'action économique du Canada (PAE). (Il aurait pu garantir le financement de la Région des lacs expérimentaux pour au moins dix ans s'il avait mis en veilleuse le PAE une toute petite année.) Le Plan d'action économique est une réponse à la terrible crise financière de 2008. Le gouvernement dépense des sommes faramineuses en travaux publics, et, sous la triple flèche emblématique du PAE, la moindre amélioration routière, l'investissement le plus banal en infrastructure devient un exercice de promotion de l'image. De toute évidence, on veut donner aux Canadiens l'illusion que partout on s'active furieusement, que le gouvernement se décarcasse pour sortir l'économie de l'ornière, pour chasser le spectre des maisons saisies dans les banlieues américaines et des rues grecques enfumées de gaz lacrymogènes. Les Canadiens réagissent d'abord favorablement à l'initiative et offrent aux conservateurs la majorité en 2011 – ces derniers ne leur ont-ils pas, en effet, donné l'impression d'avoir habilement tiré le navire de l'économie hors des eaux tumultueuses de la crise, et de l'avoir guidé vers un havre sûr et relativement prospère sans subir d'avarie majeure ?

Cependant, même en 2013, le slogan ne varie pas d'un iota et le refrain reste le même. Les flèches animées du PAE continuent sans relâche de montrer le cap à suivre sur les écrans de télé du pays pendant les séries éliminatoires de la LNH. Le gouvernement continue à déblatérer contre les ennemis de sa forte et stable majorité. Mais, à part cela, il n'y a pas grand-chose pour rallier un citoyen canadien raisonnable sous la bannière du plan. Si celui-ci est si dynamique et sa vision si inébranlable et audacieuse, où sont les monuments à la gloire de sa vertigineuse productivité ? Y a-t-il une quelconque substance derrière le slogan ? Les flèches pointent-elles réellement vers quelque chose ? Et si la réponse est non, se peut-il que les Canadiens commencent à se demander sur quoi exactement on est en train de dépenser leur argent ?

Tout au long de 2012 et de 2013, l'image de gestionnaires responsables et de redoutables promoteurs du commerce canadien que se donnent les conservateurs est mise à mal. Qu'il s'agisse du cafouillis de 46 milliards de dollars entourant l'achat des chasseurs F-35 ou du trou de 3,1 milliards que personne ne peut expliquer dans les dépenses d'un plan antiterroriste, la majorité de Harper brille davantage par ses excès et son incompétence que par cette direction forte et stable qu'elle nous promet depuis longtemps. Même le développement des sables bitumineux de l'Alberta, dont le gouvernement avait fait sa priorité absolue, est en pleine stagnation, miné de toutes parts par la critique et la controverse. Les Canadiens, si fiers de leur image de protecteurs consciencieux de l'environnement et de meneurs sur la scène internationale en matière de législation environnementale, craignent maintenant de se voir mis au ban par leurs plus grands partenaires commerciaux, le plan Harper ayant complètement ruiné leur réputation en ce domaine. Même chez nos voisins du sud, numéros deux au palmarès mondial des producteurs de gaz à effet de serre, le pétrole canadien (et la politique canadienne) est jugé trop sale.

Mais alors que le débat entourant Keystone XL déchaîne les passions, que le premier ministre albertain et quelques ministres du fédéral se rendent à Washington plaider leur cause et tenter de rétablir leur influence déjà bien entamée, une énième manifestation de cabotinage politique va révéler que le coût cumulatif de ce type d'attitude ne cesse de croître. La Convention des Nations Unies sur la lutte contre la désertification, que le gouvernement canadien a ratifiée en 1994, est exactement le genre de projet environnemental ambitieux dont le Canada aurait autrefois pris l'initiative. Renouveler le financement pour trois ans en 2013 aurait coûté 283 000 dollars – moins cher annuellement qu'une seule publicité pour le Plan d'action économique présentée pendant un match éliminatoire de la LNH. C'est visiblement trop pour le Canada, qui renonce à ses engagements envers la Convention, devenant le seul pays au monde à n'en plus faire partie.

Le premier ministre cite d'obscures statistiques sur le faible pourcentage du financement du programme qui serait imparti aux opérations, et John Baird, le ministre des Affaires étrangères, y va d'un laïus méprisant sur « la bureaucratie et le gaspillage » – attitude typique des émules du plan Harper, le genre de « dénonciation » qui a trouvé une forte résonance dans l'esprit de bien des électeurs canadiens qui lui ont offert la majorité. En 2013, cependant, cette abdication des responsabilités internationales du Canada vient s'ajouter à une longue liste d'abandons et d'embarras, tant sur le front environnemental que sur le front diplomatique. Au lieu d'une direction éclairée, le pays n'a plus à offrir qu'une partisanerie mesquine. Le Canada est le pays qui s'est retiré de Kyoto et a envoyé des garde-chiourmes surveiller ses scientifiques dans les conférences internationales. C'est le pays du pétrole sale et des fuites d'oléoducs. (Quelques jours après le retrait du gouvernement du traité sur la désertification, plus de 10 000 barils de sables bitumineux albertains sont venus souiller les rues de Mayflower, en Arkansas… et se sont retrouvés à la une de tous les journaux et bulletins télévisés du monde.) Le Canada est désormais totalement isolé dans la cohorte des nations qui luttent pour que des centaines de millions de citoyens parmi les plus démunis de la planète soient moins vulnérables vis-à-vis des sécheresses et des changements climatiques. On ne parle pas ici d'une prise de position ferme et résolue, mais d'un isolement alarmant. Comme l'a raconté à la CBC l'ancien ambassadeur Robert Fowler, « nous ne sommes plus des citoyens du monde ». Tel est le coût moral de la politique de pacotille : le Canada seul dans son coin, à pester contre des démons que personne d'autre ne voit.

Le camouflet porté à la crédibilité du Canada sur la scène internationale est un désastre en lui-même, mais plus graves encore sont les dommages causés à la capacité du gouvernement de protéger les intérêts du public et d'assumer ses responsabilités. Même si les conservateurs relèguent à l'arrière-plan la gestion responsable de l'environnement et la réglementation, convaincus que c'est ce qu'il y a de mieux à faire pour l'économie, les Canadiens, eux, attendent toujours de leur gouvernement qu'il assume ces responsabilités. Si une entreprise veut obtenir un permis pour construire un oléoduc, le gouvernement doit être capable d'évaluer le risque. En cas de déversement de pétrole, c'est lui qui devra nettoyer. Mais à cause de la guerre que livre Harper à la science, de son acharnement à détruire agences, programmes et ministères responsables de la bonne gestion environnementale, le gouvernement canadien n'est plus en mesure d'accomplir certaines de ses fonctions pourtant vitales.

L'ironie de cette perte de capacité pourrait faire sourire si ses retombées potentielles n'étaient pas si tragiques. En septembre 2012, par exemple, Peter Kent, alors ministre de l'Environnement, profite du vingt-cinquième anniversaire de la signature du protocole de Montréal pour dresser un bilan très flatteur du gouvernement, ce « chef de file mondial de la science de l'ozone atmosphérique ». Il vante le travail des scientifiques canadiens qui, dans les années qui ont suivi la ratification du protocole, ont inventé l'indice UV et créé des outils de pointe pour mesurer l'ozone atmosphérique. Il néglige bien sûr de mentionner qu'il a été témoin, quelques mois plus tôt, de la fermeture par le gouvernement du PEARL (le Laboratoire de recherche atmosphérique en environnement polaire), le seul labo sur terre à utiliser ces instruments capables de mesurer les niveaux d'ozone dans l'Extrême-Arctique. Peter Kent néglige également de mentionner le refus du gouvernement conservateur de permettre à David Tarasick, scientifique d'Environnement Canada, de présenter ses recherches sur la découverte accablante d'un trou deux fois grand comme l'Ontario dans la couche d'ozone au-dessus de l'Arctique.

Dans la même veine, la ministre de la Santé, Leona Aglukkaq, prend la parole lors de la conférence de l'Année polaire internationale de Montréal, en avril 2012 – conférence où on a associé aux chercheurs d'Environnement Canada des chaperons chargés des communications – pour chanter les louanges des nombreux projets de recherche de son gouvernement dans l'Arctique. « Nous devons mieux comprendre les bouleversements qui se produisent dans ces régions, car ces changements affectent l'ensemble de la planète », dit la ministre. Quelques semaines auparavant, loyauté envers le caucus oblige, elle a voté en faveur d'un budget qui prévoit de fermer pour plusieurs mois le seul laboratoire de recherche du Canada dans l'Extrême-Arctique, lequel devra à l'avenir se démener pour trouver du nouveau financement. Rappelons-le : le même budget accordait à l'Agence du revenu du Canada 8 millions de dollars pour contrôler les comptes de groupes environnementaux soupçonnés d'être soutenus par de riches radicaux étrangers – un pactole qui aurait permis de subventionner le PEARL pendant cinq ans. Comme je l'ai mentionné plus tôt, l'Agence du revenu du Canada a englouti la majeure partie de ces fonds dès la première année, passant à la loupe les livres de près de 900 organismes… pour ne trouver qu'un seul contrevenant : un groupe de médecins opposés au nucléaire. Des 10 organismes caritatifs canadiens ayant reçu le plus d'argent de l'étranger, un seul est actif dans le domaine de l'environnement : Canards illimités, qui a reçu 33 millions de dollars de l'étranger en 2010 et que Stephen Harper a invité à siéger au Comité consultatif sur la chasse et la pêche à la ligne en octobre 2012. Accordons cela au plan Harper : il génère son lot de cocasseries.

Si seulement les dégâts se limitaient aux déclarations hypocrites et à la vantardise des ministres ! Célébrer les découvertes scientifiques d'hier tout en s'enlevant les moyens d'en produire de nouvelles est certes troublant, mais pas autant que de réduire la capacité du gouvernement à mettre en place des systèmes de surveillance et d'intervention d'urgence pour l'environnement. Le Programme des urgences environnementales d'Environnement Canada, par exemple, a perdu soixante employés dans la foulée des restrictions imposées par le projet de loi C-38, et a été contraint de mettre la clé sous la porte de ses six bureaux régionaux. Toute la force opérationnelle de cet organisme, la première unité d'intervention gouvernementale en cas de déversement pétrolier, repose désormais sur deux bureaux, un à Montréal et l'autre en banlieue d'Ottawa. Au début de 2013, le commissaire à l'environnement du gouvernement fédéral annonce qu'il manque de ressources pour faire face à l'éventualité d'un déversement de pétrole majeur. Il démissionne peu de temps après. Environnement Canada est aussi obligé d'abandonner sommairement près de 500 évaluations d'impact environnemental, et Pêches et Océans Canada (MPO) avise la Commission d'examen conjoint du projet Enbridge Northern Gateway qu'il n'est plus en mesure d'évaluer les risques environnementaux du projet.

Le MPO est d'ailleurs l'un des ministères les plus durement touchés par le plan Harper. La révision de la Loi sur les pêches et la réduction substantielle des capacités opérationnelles de ce ministère comptent parmi les changements les plus importants, et les plus controversés, à avoir marqué le gouvernement canadien sous Stephen Harper. (Plutôt ironique quand on pense que l'une des erreurs les plus monumentales de l'histoire canadienne en terme de réglementation – l'effondrement des stocks de morue dû à la surpêche – est survenue sous l'égide de Pêches et Océans, en grande partie parce que les données étaient manipulées à des fins partisanes et que les scientifiques devaient obéir aux ordres de leurs maîtres politiques.) Compte tenu des pertes de revenus et de moyens de subsistance dans les communautés dévastées des provinces atlantiques, le MPO devrait être le dernier ministère à voir ses services scientifiques subir des coupes massives pour des motifs bassement politiques. Pourtant, il a vu sa taille et son champ d'action considérablement limités. Son mandat et ses capacités opérationnelles ont été réduits sur presque tous les fronts. À la suite du dépôt du projet de loi omnibus, plus d'un millier d'emplois à Pêches et Océans sont devenus excédentaires ou obsolètes, environ 400 employés ont définitivement perdu leur boulot, et des dizaines de bureaux ont été fermés.

Agences et bureaux chargés de la surveillance et de l'intervention en cas de pollution environnementale par des produits pétroliers sont particulièrement touchés. Le groupe de décontamination marine de l'île de Vancouver, une équipe d'urgence jouant un rôle crucial si un déversement pétrolier survient sur la côte ouest, est complètement démantelé. De nombreux bureaux locaux, y compris ceux de Prince George et de Smithers, en Colombie-Britannique – situé tout près du tracé envisagé pour l'oléoduc Northern Gateway –, ferment leurs portes. Sept des onze bibliothèques du MPO cessent de fonctionner. Les emplois touchant à la gestion de l'habitat deviennent très vulnérables aux coupes budgétaires. Et le gouvernement conservateur retranche encore 100 millions de dollars au budget du MPO en 2013. La capacité du ministère à collecter des données, à surveiller la santé des écosystèmes aquatiques et à évaluer l'impact des activités industrielles sur les océans et les cours d'eau s'en trouve considérablement restreinte. Le MPO n'est plus que l'ombre de ce qu'il était, au grand ravissement du secteur plus sérieux de l'exploitation des ressources.

L'éviscération du MPO a soulevé de féroces protestations et des critiques acerbes. La campagne concertée contre la fermeture de la Région des lacs expérimentaux et la montée au créneau d'anciens ministres des Pêches au moment même où le projet de loi C-38 est débattu en Chambre ont constitué les manifestations les plus visibles d'opinions dissidentes, mais il reste en fait très peu de défenseurs de ce ministère atrophié. Un rapport de l'organisme Canadian Journalists for Free Expression a accordé à Pêches et Océans sa pire note pour ce qui est d'encourager la liberté de presse (un F, alors que, pris globalement, le gouvernement obtient un C-). Peter Wells, qui enseigne la gestion de l'information à l'Université Dalhousie, a parlé de la fermeture des bibliothèques du ministère comme d'une « destruction d'informations indigne d'une démocratie ». Réagissant à l'affirmation de Harper selon laquelle la science déterminerait le destin de l'oléoduc Northern Gateway, Otto Langer, un ancien chef des services d'évaluation de l'habitat du MPO, aujourd'hui à la retraite, a confié à la CBC : « [Harper] dit que la science décidera. Mais il a fondamentalement anéanti la science. C'est un véritable canular qu'ils servent au public. »

Outre les compressions budgétaires et les fermetures de bureaux, la révision de la Loi sur les pêches contenue dans le projet de loi C-38 apporte une série de mesures dont les retombées vont se faire sentir longtemps. Les changements sont subtils dans les mots, mais énormes dans leurs répercussions. Avant cette révision, la Loi sur les pêches couvrait explicitement tous les habitats où vivent des poissons. Partout où il y avait des poissons, la Loi avait pour mandat d'exercer une surveillance et une protection. Mais sa nouvelle version ne couvre plus que les habitats des poissons « ayant une valeur économique, culturelle ou écologique ». Pourtant, la notion d'habitat est bien plus vaste, et déterminer la « valeur » d'une espèce donnée ou d'une population en vertu des critères cités est éminemment subjectif. « Qui va prendre la place de Dieu et décider quels poissons ont de la valeur ? » écrit Conrad Fennema, président de l'Alberta Fish and Game Association dans une lettre de protestation adressée au premier ministre et à certains membres du gouvernement. « Nous suggérons d'accorder de la valeur à toutes les espèces de poissons, dans la mesure où chacune d'elles joue un rôle dans la survie de celle qui la précède dans la chaîne alimentaire. » Mais ce changement sémantique a surtout déplacé le poids de la preuve de l'industrie vers la sphère publique. Alors que l'industrie devait autrefois démontrer que ses activités ne menaçaient pas l'habitat des poissons, c'est maintenant au gouvernement (ou au public) de prouver la valeur d'une espère donnée.

Prenant la plume au nom de la Société canadienne pour l'écologie et l'évolution, Jeff Hutchings, de l'Université Dalhousie, manifeste sa vive inquiétude au sujet d'un autre glissement sémantique dans la nouvelle Loi sur les pêches. Alors que la version précédente de la Loi interdisait toute « détérioration » ou destruction de l'habitat du poisson – un puissant outil légal –, la nouvelle version proscrit seulement les activités qui entraîneraient une « grave détérioration » des populations de poissons destinées à la pêche commerciale ou récréative. « Cette révision laissera sans protection l'habitat de la majorité des poissons d'eau douce du Canada, observe Hutchings. Elle nuira aussi à la capacité du Canada de s'acquitter de ses obligations légales de prévenir l'extinction des espèces aquatiques. » Hutchings note que, au Canada, plus de la moitié des poissons d'eau douce et quatre-vingts pour cent des espèces menacées ne seront plus placés sous la protection de la Loi sur les pêches.

La Loi sur les pêches révisée marque une rupture très nette avec quelques-unes des traditions canadiennes les plus solides – la reconnaissance de la valeur immuable et intrinsèque de la nature, le rôle du gouvernement dans la représentation et la défense du bien public visà-vis des abus de l'industrie, l'idée que le bien public a plus de valeur que tous les profits à court terme d'une entreprise commerciale et que l'économie est un instrument au service de l'intérêt public plutôt qu'un idéal supérieur qu'il faut protéger des vaines intrusions de la population. Pendant plus d'un siècle, la Loi sur les pêches a vaillamment défendu ces traditions, soutenant que l'industrie, quels que soient ses mérites et ses besoins, ne pouvait agir en toute impunité dans la sphère publique et qu'elle devait avant tout démontrer sans équivoque que ses activités ne faisaient pas peser une menace trop lourde sur l'intérêt commun. En quelques petits retraits et quelques petits ajouts bien enfouis dans un projet de loi budgétaire, qui auront sur notre histoire des conséquences sans précédent, le plan Harper a totalement renversé l'équation. Les défenseurs de l'intérêt commun doivent désormais apporter la preuve que la préservation des poissons et de leur habitat est plus importante que les droits de l'industrie à tirer profit du pillage de ces ressources. De plus, le projet de loi budgétaire et bien d'autres lois ont entraîné la mise au rancart ou la réduction de bon nombre d'agences chargées de recueillir des données indispensables à l'évaluation de la santé de ces écosystèmes et de leur valeur publique, et le gouvernement, on l'a dit, a interdit à ses fonctionnaires de communiquer aux Canadiens toute information portant sur ces sujets.

Voilà qui révolutionne la manière de penser le rôle du gouvernement et l'équilibre des intérêts publics et privés sur la scène canadienne. C'est une nouvelle ère politique, l'ère de l'aveuglement volontaire, où le gouvernement entend réduire sa propre capacité d'étudier le véritable coût de ses politiques, et où les faits qui contrarient celles-ci sont négligés, éliminés, censurés, ignorés. C'est une brèche dans les principes fondamentaux de la démocratie, une tentative d'en finir avec la tradition des Lumières qui concevait le gouvernement comme un instrument au service du bien public et dont la mission consiste à protéger ce bien en récoltant les meilleures informations disponibles et en les utilisant pour élaborer des lois qui le protègent, le prolongent et le renforcent. Rappelons comment Jeff Hutchings terminait son bref discours sur la Colline du Parlement, quelques mois avant le dévoilement de la Loi sur les pêches révisée : « Le gouvernement est en train de tirer un rideau de fer entre la science et la société. Et des rideaux tirés, surtout quand ils sont en fer, font des salles très sombres. » Souvenons-nous aussi des mots de sa collègue, Diane Orihel, le même jour : « Nous déplorons surtout le bandeau d'ignorance dont on a aveuglé ce qui fut naguère un grand pays. »

« Les preuves, les faits, la raison sont les conditions *sine qua non* non seulement d'une bonne politique, mais d'un bon gouvernement », avançait Allan Gregg, ancien stratège conservateur, dans sa conférence intitulée « 1984 en 2012 ». Et que penser de cet avertissement paru en 2012 dans un article du *Scientific American* au sujet de la montée alarmante des « croyances antisciences » dans les officines du gouvernement américain ? Shawn Lawrence Otto, l'auteur de l'article, décrit la façon de penser de Thomas Jefferson, largement inspirée de l'*Essai sur l'entendement humain*, de John Locke. L'idée de Locke voulant que le savoir et ses applications dans l'art du gouvernement proviennent, en fin de compte, des « observations du monde physique » est capitale. « C'est sur cette idée d'un monde connaissable et d'un savoir empirique comme meilleurs fondements des politiques publiques que Jefferson fait reposer les fondements de son argument en faveur de la démocratie », écrit Otto.

Pour abandonner cette tradition, un gouvernement n'a pas besoin de renier Locke, Jefferson ou même Allan Gregg. Nul besoin non plus de se dissocier du savoir empirique dans son ensemble et de déclarer hors-la-loi sa diffusion hors de son enceinte. Non : pour tourner le dos à cette tradition, comme le démontre sans relâche le plan Harper, il suffit à un gouvernement de cesser de recueillir des données et d'arrêter d'utiliser celles qu'il possède pour élaborer ses politiques publiques. À l'époque de l'aveuglement volontaire, la preuve et la science n'ont pas cessé d'exister, elles ont simplement disparu des radars.

Tournons-nous vers Kant et son brillant essai *Qu'est-ce que les Lumières?*. « Un siècle ne peut pas se confédérer et jurer de mettre le suivant dans une situation qui lui rendra impossible d'étendre ses connaissances (particulièrement celles qui sont d'un si haut intérêt), de se débarrasser des erreurs, et en général de progresser dans les lumières. Ce serait un crime contre la nature humaine, dont la destination originelle consiste justement en ce progrès ; et les successeurs sont donc pleinement fondés à rejeter pareils décrets, en arguant de l'incompétence et de la légèreté qui y présidèrent. »

C'était évident aux yeux de Kant en 1784, comme ce l'était à ceux de Jefferson en 1776 ou de Locke en 1689. Les gouvernements vont et viennent, mais l'engagement envers le progrès humain hérité des Lumières – collecte de données, interprétation, diffusion et utilisation du savoir en vue d'obtenir un gouvernement plus équitable et une meilleure qualité de vie – a été considéré comme sacrosaint depuis que la démocratie existe.

Guidé aussi puissamment soit-il par l'idéologie, la foi ou la soif inextinguible du pouvoir, chaque gouvernement démocratique est ultimement tenu de répondre aux mêmes vérités objectives. L'axiome du sénateur Daniel Patrick Moynihan – « vous avez droit à votre propre opinion, mais vous n'avez pas droit à vos propres faits » – a été largement cité après la parution d'un article de Ron Suskind dénonçant dans les pages du *New York Times Magazine*, en 2004, les dérives de l'administration de George W. Bush. Un conseiller principal dont le nom n'est pas cité rabroue Suskind sous prétexte qu'il fait partie de cette « communauté ancrée dans une réalité » inféodée à une vision du monde obsolète où les « solutions émergent d'une étude judicieuse et observable du réel ». Dans l'administration Bush, lui explique-t-il, « nous créons notre propre réalité ». Et une manière d'y parvenir, à l'ère de l'aveuglement volontaire, consiste simplement à omettre ces bribes de réalité observable qui sont le plus susceptibles de contredire la réalité que vous entendez créer.

Le glissement du plan Harper vers le camp de la post-réalité ne relève pas, à strictement parler, d'une idéologie ou de la recherche d'un avantage politique. Il inclut ces deux aspects, mais il reflète une transformation plus profonde et plus diffuse, l'instauration d'une culture politique en rupture totale avec celles que prônaient les précédents gouvernements. Ce ne sont pas seulement les objectifs de la politique publique qui sont en pleine mutation au Canada : ce sont les fondements mêmes du gouvernement et les usages communément admis dans la sphère politique. Cette mutation apparaît peut-être le plus clairement dans les allées du pouvoir, loin du front contestataire des sciences du climat et de la bonne gestion environnementale, mais elle n'en participe pas moins d'une vision déformée de la nature et de l'objet de la science par les tenants de la nouvelle culture.

Le sort qu'a subi le Conseil national de recherches (CNRC) est un bel exemple des ravages du plan Harper. La réorganisation majeure, qui va avoir des retombées sur presque tous les laboratoires de l'organisme de recherche gouvernementale le plus prestigieux du Canada, débute avec la nomination de Gary Goodyear à la tête du ministère d'État chargé des Sciences et de la Technologie, en 2008. Le CNRC n'est pas placé directement sous l'autorité de Goodyear, mais c'est surtout ce dernier que l'on a vu s'activer tout au long de la transformation de l'agence. Comme la presse et les critiques l'ont maintes fois mentionné, Goodyear n'a jamais travaillé comme scientifique ou comme ingénieur, et ne possède même pas un diplôme de premier cycle dans une quelconque discipline scientifique. Avant de se faire élire, Goodyear exerçait le métier de chiropraticien. Il fait les manchettes peu de temps après sa nomination au Cabinet, en 2008. À un journaliste qui lui demande s'il croit ou non à l'évolution, il répond sur un ton hésitant et confus que ses croyances n'ont rien à voir avec ses fonctions politiques, soutenant ensuite que « nous évoluons chaque jour, chaque décennie ». Et il illustre son propos en tirant des exemples de sa pratique de chiropraticien : nous portons des talons hauts, nous marchons sur le ciment… Nous sommes très loin des principes de base de l'évolution qu'on enseigne dans les cours de biologie 101.

La nomination de Goodyear à la tête du ministère des Sciences et de la Technologie est suivie de celle d'un nouveau directeur du CNRC en 2010. John McDougall est un ancien ingénieur pétrolier qui a supervisé la réorganisation de l'Alberta Research Council, lequel est devenu, sous sa gouverne, Technology Futures, une subdivision d'Alberta

Innovates, une agence résolument tournée vers l'entreprise. Très vite, McDougall exprime son intention de réformer en profondeur le CNRC. En mars 2011, il fait parvenir un courriel aux employés de l'agence dans lequel il définit sa nouvelle stratégie pour l'organisme. En préambule, il invoque les raisons qui l'ont poussé, des années auparavant, à réformer l'entreprise séculaire de sa famille à Edmonton. « J'ai compris que l'histoire est une ancre qui nous lie au passé plutôt qu'une voile qui se gonfle de vent et nous propulse vers l'avenir. »

La nouvelle stratégie qu'il dessine pour le CNRC se résume cependant à une succession d'approximations et de clichés sur la gestion. « Nous voulons faire du CNRC une organisation résolument tournée vers les résultats – la meilleure organisation de recherche et de technologie au monde, capable d'avoir un impact positif sur l'avenir économique du Canada. Par résultats, nous voulons dire que notre travail doit être diffusé et utilisé avec succès par nos clients et nos partenaires dans l'industrie et le gouvernement. »

Si le langage reste flou, l'impact sur le fonctionnement interne du CNRC est foudroyant. Pour devenir voile, l'ancre va devoir passer sous le marteau du forgeron. L'agence, jusqu'alors divisée en instituts semi-autonomes, est réorganisée autour d'une poignée de « secteurs thématiques », selon les mots de McDougall. Ces secteurs seront classés en programmes, dont certains porteront l'étiquette de « programmes phares ». La majeure partie du pouvoir exécutif, qui résidait au niveau des instituts, remonte désormais vers le bureau du directeur, et les anciens gestionnaires des différents instituts doivent en toute hâte adapter leurs projets de recherche de sorte qu'ils puissent entrer dans les normes d'un secteur thématique, et accéder ainsi au statut envié des programmes phares.

Conjointement, le CNRC est happé par le maelstrom plus vaste de la guerre que livre Harper à la science. Des emplois sont supprimés çà et là, et on interdit à certains chercheurs de participer à des conférences traitant de leur champ d'études, et ce, même s'ils ont été invités à présenter leurs travaux. Lors d'un épisode très embarrassant, tous les employés de l'Institut du biodiagnostic de Winnipeg reçoivent une carte-cadeau de trois dollars, gracieuseté de Tim Hortons, au moment même où certains d'entre eux terminent leur dernière journée après avoir été licenciés. J'ai parlé avec un employé de longue date du CNRC, qui a demandé l'anonymat par peur de perdre son boulot, et qui m'a dit que cette période de transition avait été « totalement chaotique ». Entre autres choses, il m'a raconté que les services de comptabilité étaient incapables de continuer de facturer certains clients pour des logiciels sous licence acquis auprès du CNRC durant cette longue réorganisation, laissant ainsi traîner des revenus non perçus pendant des mois.

En mars 2012, alors que McDougall poursuit sa restructuration du CNRC, Gary Goodyear intervient pour clarifier les objectifs supérieurs qu'il s'est fixés. Le ministre confie qu'il voit le CNRC comme un « service de conciergerie » à la disposition du monde des affaires et de l'industrie. « J'aimerais qu'il devienne une sorte de guichet unique, une sorte de numéro "1-800-j'ai-une-solution-pour-vos-problèmes-d'entreprise", explique Goodyear au micro de la CBC. Ce sera l'équivalent d'une centrale électrique où transiteront toutes les idées, d'où qu'elles viennent [...], et qui littéralement adaptera ces idées au marché par l'intermédiaire de nos communautés d'affaires, aussi bien qu'elle répondra aux besoins de ces communautés en offrant, par exemple, des activités de recherche et de solution. » Un an plus tard, Goodyear rappelle ce nouveau mandat, déclarant que le CNRC est « prêt pour les affaires », ajoutant qu'à force de « créer du savoir et de repousser les limites de la connaissance », l'agence a dérivé trop loin des besoins de l'industrie.

Voilà l'essence de la nouvelle culture gouvernementale sous Stephen Harper. L'objectif de la recherche, et de la science en général, est de générer des débouchés économiques pour l'industrie, et il appartient au gouvernement de l'aider dans ce processus par tous les moyens mis à sa disposition. L'affaire du Canada, pour paraphraser Calvin Coolidge, c'est tout simplement les affaires, et l'innovation technologique en est le moteur. Le travail du gouvernement, c'est de livrer de l'innovation, comme le ferait le concierge à la réception d'un hôtel de luxe avec des billets de théâtre. L'innovation – un mot très prisé des apparatchiks du gouvernement Harper comme Goodyear et McDougall – est mieux comprise, dans ce contexte, non pas comme une force susceptible de générer du progrès social, mais plutôt comme un nouveau dispositif sur un quelconque appareil. Voilà qui relève d'une profonde incompréhension non seulement de ce qu'est l'innovation, mais aussi du comment, du où et du pourquoi elle se produit. C'est une grave perversion de l'identité du CNRC et de sa mission première. Et cela démontre que bien des erreurs commises au nom du plan Harper ne sont pas dues seulement à une croisade idéologique un peu mesquine : elles sont dues aussi, et peut-être surtout, à une culture tellement myope qu'elle est incapable de voir l'étendue de sa propre ignorance. L'aveugle volontaire, en d'autres mots, n'est pas toujours animé par la volonté de casser tout ce qu'il bouscule ; simplement, cela lui arrive trop souvent.

Le plan Harper occupe une place centrale dans cet accès de cécité qui distille la méfiance envers l'expertise et le mépris pour toute forme de science qui ne se met pas au service de l'économie, pour le profit immédiat de l'industrie canadienne – toutes ces petites choses qui séduisent tant l'électeur conservateur. Souvenons-nous de ce que disait David Schindler au sujet des compressions qu'entraînerait le projet de loi C-38 : « Ce que je puis dire de plus aimable, c'est que ces gens-là n'en savent pas assez sur la science pour mesurer la valeur de ce qu'ils coupent. »

Quand j'ai parlé à Schindler, il a établi une distinction très nette entre, d'une part, les relations houleuses que lui a values son franc-parler avec les précédents gouvernements et, d'autre part, ses rapports bien plus inquiétants avec les conservateurs de Harper. « J'ai témoigné lors des audiences pour C-38 et j'ai vu que ces gens-là semblaient frappés de stupeur en voyant devant eux les meilleurs scientifiques et les hauts fonctionnaires de leur propre parti qui leur disaient qu'ils commettaient une erreur monumentale. Et ils répondaient : "Oh, mais non, vous vous trompez, nous ne sommes pas en train d'affaiblir quoi que ce soit." Ça donnait froid dans le dos de voir ça ! »

Schindler rejette l'idée que sa contribution à la Région des lacs expérimentaux (RLE) ait motivé les compressions. Ses travaux actuels à l'Université de l'Alberta sur l'impact de l'extraction des sables bitumineux sur les écosystèmes d'eau douce auraient pu, en effet, faire de la RLE une cible toute désignée pour une liquidation vengeresse, mais Schindler croit plutôt qu'un changement culturel plus vaste est en train de se produire. « Ils suppriment un tas de choses qui n'ont rien à voir avec le pétrole et le gaz. Il faut voir plus grand : ils s'en prennent à des organisations capables de produire des données susceptibles de contrecarrer le développement industriel. Je pense que le pétrole et le gaz constituent leur premier champ d'action, mais je crois aussi que tout cela va bien au-delà. »

Le plan de Harper montre peu de compréhension quant à la nature du travail que doit accomplir un gouvernement au jour le jour. Ma source anonyme au CNRC, que j'appellerai Andrew, m'a confié : « McDougall entretient cette illusion qu'un expert est un expert. Bizarrement, c'est quelque chose qu'il surestime. Il pense que, pour être transférés d'un domaine de recherche à un autre, nous n'avons besoin que d'une formation de quelques mois, parce que nous sommes si intelligents que nous pouvons faire n'importe quoi. Alors, oui, il y a un mépris pour la science, mais il y a aussi une étonnante surestimation de ses capacités. »

Andrew souligne que la nature même des discussions entourant la réorganisation du CNRC trahissait une piètre connaissance du rôle de l'agence. McDougall et Goodyear aiment à répéter qu'ils déplacent les ressources de la « science axée vers la découverte » et de la « recherche fondamentale » vers le champ de l'innovation et de la recherche appliquée afin de mieux servir l'industrie canadienne dans l'immédiat. Mais cela faisait des décennies déjà que la science pure ne constituait plus qu'une « infime partie » du travail du CNRC. « Ce qui est intéressant, c'est qu'avec le déplacement du débat sur ce terrain, le public a le vague sentiment que McDougall est en train de supprimer des trucs très abstraits, farfelus – des travaux sur la théorie des quantas ou d'autre chose du même genre. Et il ignore alors ce qui se passe vraiment : il fait des choses terribles à la recherche appliquée qui, pourtant, vient en aide à l'industrie canadienne. »

L'explication, répétons-le, est plus culturelle qu'idéologique. « Nous obtenons beaucoup d'argent de la part du complexe militaro-industriel américain, me dit Andrew. Il y a pas mal de gens de droite aux États-Unis qui comprennent la valeur de notre travail, contrairement à l'aile droite du gouvernement conservateur. Pourquoi ? Parce que ce n'est pas la même droite. La nôtre est plutôt celle des petits quincailliers de village, incapables du moindre investissement s'il n'est pas rentabilisé dans les six mois. Ce qu'aimerait vraiment ce gars [McDougall], c'est louer la soufflerie que le CNRC possède à côté de l'aéroport d'Ottawa et être payé rubis sur l'ongle. C'est un quincaillier. Il ne veut pas débourser plus d'un dollar pour un sac de clous. »

Pour poursuivre cette analogie, un quincaillier ne voit généralement pas l'intérêt de réinjecter ses bénéfices dans l'aventure sérieuse, longue et risquée de la recherche et du développement, qui engendre la réelle innovation. Si, un été, il s'en met plein les poches avec une super tondeuse, il ne va pas investir massivement dans des recherches sans fin sur la croissance de l'herbe et l'aérodynamisme des lames. Pas plus qu'il ne touchera à son magot pour payer des grosses têtes qui vont bricoler rouages et circuits électriques afin de mettre au point un moteur qui ne rejette aucune émission ou un système de guidage autopropulsé. Peut-être ne s'intéresse-t-il même pas au fonctionnement des machines qu'il vend; il veut juste en commander davantage. Quelles couleurs avez-vous cette année? Avez-vous un modèle meilleur marché, qui soit moins gourmand en essence? Parfait, mettez-m'en deux douzaines.

On ne le répétera jamais assez: il est fonctionnellement impossible pour un organisme de recherche comme le CNRC d'identifier les besoins de l'industrie en matière de recherche et développement, de les traiter et d'y répondre correctement dans les délais microscopiques d'une ligne « 1-800-assistance », ou même dans les limites d'un cycle économique ou d'une période de quelques années. Pourquoi? D'abord parce que les organes de recherche gouvernementaux n'ont pas de talent particulier pour répondre aux besoins technologiques à court terme de l'entreprise. Même les sociétés privées de capital de risque, pourtant rompues à ce type de recherche et développement orienté vers l'avenir, échouent plus de neuf fois sur dix à déchiffrer correctement les méandres et les réactions du marché. Et comme en attestent les antécédents du CNRC, la véritable innovation capable de générer des bénéfices à long terme pour l'économie ne peut être créée sur demande. Mieux qu'aucune autre initiative du plan Harper, cette redéfinition du CNRC témoigne de la volonté de ce gouvernement d'agir en l'absence totale de preuves ou de pratiques exemplaires.

Prenons-en pour exemple la très robuste industrie canadienne de l'infographie, un véritable modèle d'innovation qui, durant ce que beaucoup considèrent comme l'âge d'or de la « recherche pure », a entretenu un lien direct et solide avec le CNRC. L'histoire de ce secteur débute dans les années 1970 : l'argent coule à flots, les délais sont plutôt élastiques, et la créativité est à son maximum. Elle a pour héros improbable un hippie dingue de motos, Bill Buxton, étudiant en musique électronique à l'Université Queen's en 1971. Un de ses profs lui a parlé d'une « machine à faire de la musique numérique » complètement dingue dans un labo du CNRC, à Ottawa – il s'agit un clavier d'orgue branché sur un ordinateur dernière génération dont la mémoire de vingt-quatre kilooctets remplit une pièce en entier. Buxton enfourche sa moto et part à Ottawa jouer avec l'étrange chose. Il ne touche pas au clavier, mais deux dispositifs munis de boutons et de roulettes de défilement le fascinent littéralement : il en comprend tout de suite le potentiel sur le plan de l'« interaction bimanuelle ». Il pourrait produire de la musique simplement en tournant quelques molettes et en pressant les boutons séquentiellement.

Captivé, Buxton intègre ces nouveaux joujoux au cœur de sa recherche, qui, très vite, sort du champ musical numérique. L'un de ces dispositifs est ce que nous appelons aujourd'hui une souris. C'est grâce aux recherches qu'il a menées sans aucune contrainte que Buxton est devenu le très innovant chef scientifique de Silicon Graphics Inc. et d'Alias Wavefront, deux sociétés pionnières dans le développement commercial de l'infographie tridimensionnelle. Entre autres honneurs, la compagnie Alias Wavefront a raflé un Oscar en 2003 pour son travail d'avant-garde au cinéma, en matière d'imagerie assistée par ordinateur. La compagnie, dont le siège se trouve à Toronto, est le type même de l'entreprise dynamique où les membres du Parlement aiment à se faire photographier pour montrer à quel point l'investissement du gouvernement dans la recherche technologique peut donner de fabuleux résultats. Il ne fait pourtant aucun doute qu'un chercheur, aussi désespéré soit-il, n'aurait jamais osé prétendre devant un directeur « collé aux résultats » que cette machine à musique numérique du CNRC méritait amplement d'être affiliée à un programme phare, dans le secteur thématique du logiciel d'avant-garde. Ce n'est tout simplement pas comme cela que l'innovation fonctionne.

« L'innovation est affaire d'alchimie, écrivait Buxton dans *Business Week* en 2008. En réalité, innover n'est pas inventer. Une idée peut très bien partir d'une invention, mais le gros du travail et de la créativité réside dans le développement et le raffinement de l'idée [...] Le cœur du processus innovant touche à la prospection, à l'activité minière, au raffinage et à l'orfèvrerie. Savoir comment et où chercher, reconnaître de l'or quand vous en trouvez, tout ça n'est qu'un début. Le chemin entre le moment où vous déposez votre demande de droits pour une concession et celui où vous empilez les lingots d'or est long et ardu. »

Bill Buxton a soutenu par ailleurs que, si on ne lui avait pas donné cette chance au CNRC, dans les années 1970, jamais le Canada ne se serait taillé une place à l'avant-garde de l'infographie. Pour ma part, je soutiendrais que, grâce à tout ce que Gary Goodyear et John McDougall ont accompli pour faire du CNRC un meilleur service de conciergerie à la botte de l'industrie, on peut être à peu près certain qu'il n'y aura pas d'innovations à la Bill Buxton pendant la durée de leur mandat. Les quincailliers, après tout, ne sont pas reconnus pour laisser des hippies jouer avec la marchandise. C'est mauvais pour le commerce – enfin, le commerce d'aujourd'hui.

Tel est le quotidien de la science et de la technologie à l'ère de l'aveuglement volontaire. Ces catastrophes, héritage du plan Harper, ne portent pas toutes les marques d'une croisade idéologique contre la gestion responsable de l'environnement. Parfois, la responsabilité d'une faute est attribuable à une maladresse que l'on s'est infligée soi-même. Les quincailliers, fiers de leur ignorance et persuadés d'être les seuls capables de voir dans le noir, traînent une idée fausse du travail des scientifiques. Guidés par la logique du bon sens, libérés de ces boulets que sont les données et les preuves scientifiques, ils réforment un institut de recherche pour en faire une conciergerie d'hôtel de luxe, mettent un paquet d'argent sur le premier truc qui leur paraît distrayant – du clinquant et du neuf, du porteur d'eau et du fendeur de bois –, puis se pètent les bretelles en nous annonçant combien ils ont dépensé pour la science lors du dernier exercice financier. On pourrait presque leur pardonner de ne pas savoir ce qu'ils font… si cela n'avait sur le pays des conséquences aussi tragiques.

5

Perdus dans le noir

La vue depuis le musée

Printemps 2013

Le gouvernement traverse cette ère d'aveuglement volontaire dans une sorte de chaos ordinaire. Un désordre endémique, apparemment inévitable – il y a tant de choses à casser et à démonter, avec si peu de vision ! Prenons au hasard l'histoire de cette fuite de diesel provenant d'un réservoir de carburant alimentant un générateur du Centre canadien des eaux intérieures d'Environnement Canada, à Burlington, en Ontario. Comme le raconte Mike De Souza, de *Postmedia News*, grâce à une demande d'accès à l'information, un inspecteur d'Environnement Canada signale l'incident dans un rapport au mois de mars 2011, mais rien ne se passe avant l'envoi d'une lettre d'avertissement au mois d'avril... 2012. Vous avez bien lu : un inspecteur d'Environnement Canada signale une dangereuse fuite de carburant dans un des réservoirs de l'organisme, et rien n'est fait pour régler le problème *pendant plus d'un an*. Comment s'étonner alors que, dans un rapport présenté au Parlement, Scott Vaughan, commissaire fédéral à l'environnement, soutienne qu'Environnement Canada souffre d'un manque de ressources généralisé qui l'empêche de répondre adéquatement aux infractions à sa réglementation ?

Autre camouflet à la tradition scientifique : début 2013, Pêches et Océans Canada propose à Andreas Muenchow, un scientifique américain travaillant avec des chercheurs du gouvernement canadien dans l'Arctique, une entente en vertu de laquelle tous ses travaux doivent rester confidentiels jusqu'à ce qu'il reçoive du gouvernement canadien un consentement écrit l'autorisant à les publier. Voyant que cette nouvelle entente est bien plus restrictive que celle qu'il a passée avec le gouvernement en 2003, Muenchow refuse de signer et publie sur son blogue le texte litigieux. « Le langage utilisé dans cette nouvelle version est extrêmement restrictif, écrit-il. Et il laisse entrevoir la possibilité que le gouvernement canadien puisse me contrôler de même que ceux avec qui et pour qui je travaille. »

L'incessant cabotinage politique du gouvernement génère son propre lot de chaos et d'absurdité. Parcs Canada, par exemple, décide à l'automne 2011 d'organiser une conférence de presse pour annoncer la création d'un nouveau parc national à l'île de Sable, au large des côtes de la Nouvelle-Écosse. Voilà un an que Parcs Canada négocie avec la Nouvelle-Écosse le nom de ce parc, et l'agence décide de faire coïncider l'annonce avec son centième anniversaire. Mais quand Parcs Canada envoie le programme de l'événement au Bureau du Conseil privé (BCP) d'Ottawa pour approbation, il est littéralement taillé en pièces par les proches du premier ministre. Quelques jours avant l'inauguration du parc, les représentants du BCP effacent grossièrement le logo de Parcs Canada d'un document d'information, exigent que les trois hauts fonctionnaires de l'agence qui devaient accompagner sur le podium Peter Kent, le ministre de l'Environnement, et Peter MacKay, le ministre de la Défense, soient exclus, et demandent que la bannière du centenaire de Parcs Canada, jugée « trop laide », soit enlevée. La banderole est restée, mais le président de Parcs Canada a assisté à la cérémonie depuis les gradins, d'où il a vu Peter MacKay vanter devant la presse ces « cinquante années d'efforts pour la préservation couronnées par la signature de cette entente par le gouvernement Harper ».

Cette appropriation effrontée des honneurs qui reviennent à d'autres donne du plan Harper une image en tous points séduisante : un gouvernement qui tient mordicus à réduire l'efficacité de ses agences environnementales, des fidèles qui écartent sans ménagement des sous-fifres afin que des ministres puissent se glorifier d'une tradition dont ils ne portent en rien le mérite et qu'ils ont, en plus, l'intention de bafouer le plus vite possible. (Non loin de là, faute de financement, le parc national de Kejimkujik va devoir réduire ses services en hiver.) Le plan Harper, c'est inaugurer des monuments que l'on a l'intention de fermer bientôt, c'est célébrer l'anniversaire d'une institution que l'on vient d'anéantir. Toute la campagne en faveur du Plan d'action économique est en quelque sorte une tentative qui s'étire dans le temps d'estamper le logo des conservateurs sur la saine gestion des finances et la rigoureuse réglementation bancaire instaurées par le premier ministre libéral Paul Martin – adversaire malheureux de Stephen Harper lors de son accession au pouvoir.

Même les rares bonnes nouvelles que reçoit la communauté des scientifiques du gouvernement semblent être davantage le fruit du hasard que celui d'une réelle intention, dans les années de la majorité Harper. Fin avril 2013, par exemple, un mémo informe les chercheurs de la Région des lacs expérimentaux que, finalement, leur fabuleux laboratoire va peut-être survivre. Kathleen Wynne, la première ministre de l'Ontario, annonce que son gouvernement offrira le « soutien opérationnel ». Pour sa part, l'Institut international du développement durable (en anglais, l'International Institute for Sustainable Development, ou IISD), basé à Winnipeg, s'est proposé pour administrer la RLE. Cette annonce de l'engagement de l'IISD émane directement de son nouveau directeur, Scott Vaughan, récemment nommé commissaire à l'environnement et au développement durable. Ce nouvel accord arrive bien après la onzième heure puisque Pêches et Océans a déjà commencé à démanteler les bureaux et les installations autour des lacs, et que rien n'indique que le gouvernement fédéral ait pris la moindre décision visant à assurer à l'organisme de nouveaux locaux – en fait, il semble n'avoir fait qu'une chose : donner son accord après que le gouvernement de l'Ontario et l'IISD ont pris les devants. Cela ne va pas empêcher le député conservateur Dean Del Mastro d'aller fanfaronner dans les pages du quotidien en ligne de sa ville au sujet du gros travail qu'a accompli son gouvernement. *MyKawartha.com* publie en effet cette stupéfiante déclaration du député voulant que le gouvernement a « établi un plan correctif pour s'assurer que le nouvel opérateur reçoive des installations en bon état ». En fait, pendant quarante-cinq ans, les scientifiques de la RLE ont toujours très bien entretenu les installations, y compris en prenant des mesures d'assainissement à la fin de chaque expérience; et la principale activité de Pêches et Océans, ce printemps-là, a été de retirer portes et fenêtres. Toujours est-il que la RLE, laissée pour morte au nom du plan Harper, semble avoir été épargnée pour de bon. Voilà une histoire propre à réchauffer les cœurs dans le Canada de Stephen Harper en 2013 – c'est tout de même ce que le fédéral a fait de moins nul en matière d'environnement –, alors pourquoi ne pas lui lever notre chapeau?

La RLE est sauvée, certes, et l'information continuera d'être recueillie, la science d'avancer; mais le gouvernement fédéral n'aura plus à répondre directement à l'une de ses propres agences en ce qui concerne la chimie aquatique, la santé des populations de poissons d'eau douce et les nuisances de l'industrie sur les écosystèmes d'eau douce. Cette institution, qui a déjà fait partie de l'élite – la réponse d'Ottawa au Grand collisionneur de hadrons, selon les mots de Jules Blais, biologiste à l'Université d'Ottawa –, sera maintenant un parent pauvre ne devant sa survie qu'à des gouvernements provinciaux et à des ONG. Ce qui nous amène, finalement, au coût global du plan Harper et au sombre visage de ceux qui ont fait les frais de ses coupes. Parce que, au bout du compte, faire la guerre à la science, c'est faire la guerre aux *scientifiques*. Et à une époque où les chercheurs du Conseil national de recherches doivent trouver des applications commerciales immédiates à leurs travaux, où les universitaires à la recherche de financement voient la plus grande part des fonds gouvernementaux aller à la technologie plutôt qu'aux sciences fondamentales, où des labos de renommée mondiale sont fermés sur un coup de tête, et où les chercheurs employés par le gouvernement doivent obtenir l'aval de « conseillers en communications » avant de faire la moindre déclaration en public concernant leurs travaux, le Canada est devenu un pays où les scientifiques les plus brillants sont de moins en moins susceptibles de se sentir les bienvenus. Quel virtuose de la recherche, quel crack des labos songerait aujourd'hui à venir se faire un nom et une carrière au Canada ? Qui voudrait travailler dans un environnement aussi anxiogène et chaotique, sous une autorité aussi arbitraire, pour un pays devenu si méprisant à l'égard d'une certaine science qu'il en a renié ses engagements envers l'esprit des Lumières ?

Ce scénario est loin d'être hypothétique. La fermeture du Laboratoire de recherche atmosphérique en environnement polaire (le PEARL), par exemple, a causé le départ presque immédiat du célèbre physicien de l'atmosphère Ted Shepherd, qui, faute de pouvoir utiliser les données de la station de recherche dans ses travaux, a quitté l'Université de Toronto pour celle de Reading, au Royaume-Uni. Harper a finalement redécouvert les vertus du PEARL un an après en avoir supprimé le financement – trop tard pour retenir Shepherd au Canada ou pour redorer la réputation déjà bien entamée du pays parmi les climatologues du monde entier. Quand les budgets sont annulés et les bureaux fermés, les pertes ne sont pas seulement matérielles : elles sont aussi intellectuelles. La confiance des cerveaux part en fumée. Les bons chercheurs travaillant pour le gouvernement prennent leur retraite ou acceptent un poste plus sûr dans l'enseignement, et ils ne sont pas remplacés. Le bruit se répand à travers la communauté internationale que le Canada a tourné le dos à ses scientifiques. Même les chercheurs travaillant dans les universités canadiennes ont vu leurs subsides les plus importants être détournés de la recherche à long terme. Le CRSNG (Conseil de recherches en sciences naturelles et en génie), par exemple, a longtemps été une source appréciable de financement pour les universitaires, mais son budget a fondu de cinq pour cent en 2012, et son Programme d'appui aux ressources majeures s'est vu imposer un moratoire. Résultat : le Bamfield Marine Sciences Center, une station de recherche de l'île de Vancouver en activité depuis quarante-trois ans, a perdu le financement qui lui permettait de partager avec des chercheurs du monde entier ses données critiques sur l'état de l'océan. Le poste d'observation subsiste, mais ne s'inscrit plus dans le vaste projet d'une meilleure compréhension de tous les océans du monde. Et tout ça en pleine crise climatique ! Alors que les priorités du CRSNG par rapport au financement se sont déplacées vers la recherche axée sur l'industrie, la réputation internationale de Bamfield et sa capacité à attirer des scientifiques de renommée mondiale ont fondu comme banquise au soleil.

En bref, l'hostilité ouverte de Harper envers certains types de recherche n'a pas seulement entraîné la fermeture de bon nombre d'installations de premier plan : elle a aussi créé une génération perdue dans les rangs des scientifiques canadiens. « Ce qui arrive, même si on ne le voit pas encore, c'est que beaucoup de scientifiques parmi les meilleurs sont en train d'abandonner, m'a dit le fondateur de la RLE, David Schindler. Certains vont tenir jusqu'à la retraite, d'autres vont la devancer, mais ils veulent partir. Il y a beaucoup de gens vraiment compétents qui ont dans la soixantaine et qui, à cause de toutes ces coupes, n'ont pas été remplacés par des chercheurs de même niveau. Et pendant ce temps, leur échelle salariale ne concurrence même plus celle des pires universités. C'est une longue dégringolade qui va s'étaler sur vingt ans. On assistera à une diminution considérable des compétences disponibles au sein des ministères fédéraux, du moins dans le domaine des sciences environnementales. Et il y a pas mal de gens que ça fait paniquer. Beaucoup de ceux avec j'ai parlé reconnaissent par exemple que l'exploitation des sables bitumineux doit être surveillée, mais ils ne voient tout simplement pas où on pourrait recruter le personnel pour le faire dans le bassin dont on dispose actuellement. »

La guerre que livre le plan Harper à la science repose sur un pari implicite. Le gouvernement conservateur mise sur le fait que, à force d'attaques verbales au message parfaitement contrôlé, de déclarations publiques soigneusement mises en scène et de publicités clinquantes pour le Plan d'action économique martelées match de hockey après match de hockey, il détournera l'attention des Canadiens et les empêchera de prendre conscience des ravages causés par l'anéantissement de la recherche gouvernementale et de la gestion responsable de l'environnement – et ce, jusqu'à ce qu'il soit trop tard pour faire marche arrière. Encouragez le Plan d'action économique, célébrez la victoire de la guerre de 1812, travaillez pour une entité appelée le « gouvernement Harper » plutôt que pour la « fonction publique », et ne prêtez surtout pas attention aux bruits du tumulte, aux tollés de protestation, aux boulets de démolition qui s'activent dans le désordre.

Le pari de Harper et de son plan repose aussi sur l'idée qu'à force d'être répété un mensonge finit par devenir une vérité, qu'un argumentaire inlassablement rabâché finira par occulter tout fait contradictoire et tout contre-argument rationnel. Le son pourtant très clair de la preuve que nous livrent les meilleurs scientifiques de la nation sera entièrement étouffé par le tintamarre de la machine à propagande. C'est l'implacable logique de l'allégeance au message en tant qu'arme politique. Il n'y a pas de crise climatique, juste une taxe carbone mortelle pour l'emploi. Aucune désorganisation du Conseil national de recherches, juste une conciergerie qui croule sous les nouveaux gadgets destinés aux industries du pays. Les réglementations ne sont qu'un boulet au pied de la croissance économique, rien de plus. La nature ne vaut rien tant et aussi longtemps qu'elle n'est pas convertie grâce aux bons soins de l'industrie des ressources naturelles ; elle devient alors une composante vitale de l'intérêt national. Le Canada est et restera à jamais la corne d'abondance vaste et inépuisable que François Gravé a aperçue en voguant sur le Saint-Laurent en 1603. Ignorez toutes les raisons qui ont guidé le projet de Champlain de construire une nation. Fendez du bois, portez de l'eau. Et ne vous occupez pas du reste.

Le Canada qui sert d'enjeu dans ce pari n'est pas le même que celui que Stephen Harper a trouvé en emménageant au 24, promenade Sussex, en 2006. Le Canada de Stephen Harper est devenu, au nom du profit, un symbole international de l'insensibilité et de l'hostilité à la saine gestion de l'environnement, un État paria qui sabote les négociations internationales sur le climat, renie ses engagements de réduire ses émissions de gaz à effet de serre et s'oppose farouchement à toute mesure qui se préoccupe de la santé de la planète. Le Canada de Harper est un pays isolé parmi les nations démocratiques, qui empêche ses chercheurs de parler de leurs travaux en public et envoie des doreurs d'image mettre en déroute tout fait scientifique, même lors de conférences savantes. C'est un pays où la cause environnementale est rejetée et où toute opinion dissidente est perçue comme une trahison, un pays dans lequel les scientifiques manifestent dans les rues pour rappeler la primauté de la méthode scientifique, où les médecins doivent interrompre des conférences de presse s'ils veulent faire valoir leur expertise dans des discussions portant sur des politiques dans le domaine de la santé.

Le Canada de Stephen Harper est un pays où l'élite des chercheurs scientifiques travaillant pour le gouvernement est critiquée pour son incapacité à performer selon les standards d'une ligne « 1-800-je-suis-à-votre-service ». Un pays où des chiropraticiens et des ingénieurs pétroliers peuvent se permettre de qualifier d'inutile la recherche scientifique et de capital le secteur recherche et développement dans le domaine de l'industrie. Un pays qui se protège des déversements de pétrole en paralysant ses services d'intervention d'urgence et qui gère son industrie de la pêche en détruisant la capacité du gouvernement à évaluer les stocks de poisson. Un pays où la souveraineté dans le Grand Nord dépend de l'extinction de la seule petite lumière qui brillait dans la nuit arctique et où l'un des labos de recherche aquatique les plus réputés de la planète est qualifié de gouffre financier, de frein à l'industrie et d'obstacle à la croissance économique.

Le Canada de Stephen Harper est un pays où l'expansion industrielle et la croissance économique sont la manifestation suprême de l'intérêt public.

Le Canada de Stephen Harper est un pays où les faits et les preuves sont déformés afin de répondre à des objectifs politiques, où tout, du commentaire anodin d'un chercheur à l'essence de la Loi sur les pêches, a été conditionné pour se plier à un programme politique dont le seul véritable but est l'expansion du pouvoir du gouvernement et l'exploitation des richesses naturelles du pays.

Le Canada de Stephen Harper est un pays où un plan à la fois malveillant et parfaitement clair a été mis en place pour réduire la capacité du gouvernement à récolter des données sur la nature qui nous entoure, pour éliminer des organisations chargées de produire et d'interpréter ces données dans la mesure du possible, pour paralyser les agences garantissant le règlement des problèmes dont ces données font la preuve, et pour interdire aux employés du gouvernement de parler publiquement de l'incidence de ces données – tout ceci afin de précipiter le pays en pleine ère de l'aveuglement volontaire.

Voilà ce que deviendra notre pays si Harper gagne son pari. Voici la récompense : un Canada diminué ; un pays méprisable, borné, où l'on craint les questions ouvertes et la science spéculative. Un pays en décalage total avec ses alliés traditionnels, isolé et inquiet, abonné à une prospérité aussi superficielle que fragile. Un pays fermement opposé à tout progrès sur la question essentielle du XXIe siècle, sur le plus grand défi de notre temps : comment concilier notre appétit féroce en énergie avec l'immense danger que constitue cette boulimie pour notre planète et son climat ?

Un bel après-midi du début du mois de mai, j'ai visité

le Musée royal de l'Ontario, à Toronto – le même jour où Gary Goodyear et John McDougall tenaient une conférence de presse annonçant que le Conseil national de recherches allait « renverser la vapeur en ciblant les besoins des entreprises canadiennes en matière de recherche ». À l'entrée principale, les visiteurs étaient accueillis par un *futalognkosaurus*, un dinosaure très haut sur pattes découvert pour la première fois en 2007. Plus loin, un fossile d'hadrosaure avec son bec de canard, découvert dans la vallée albertaine de Red Deer, en 1921, contemplait la foule. Ces deux-là sont en quelque sorte le premier et le dernier chapitre de l'âge d'or de la science au Canada.

Nous étions en semaine, et des groupes d'écoliers en excursion avaient pris d'assaut les quatre étages de galeries et d'expositions du musée. Alors que, tout excités, les enfants grouillaient autour de moi dans la salle des peuples autochtones, je me suis extasié devant la tunique de guerre de Sitting Bull et les vestes de perles ojibwées, et me suis demandé à quoi servaient les cornes sur la coiffe en peau de belette d'un Pied-Noir. Il y avait aussi une corne iroquoise donnée par un médecin de campagne à la fin du XVIIIe siècle, des mocassins lakotas datant de 1880, une pipe cérémonielle d'un mètre de long, probablement sioux, sans doute ramassée lors d'une expédition sur la rivière Rouge en 1858, et un grand canot abénaquis en écorce de bouleau datant des premiers contacts avec les Européens.

Je savais que certains des objets que j'admirais avaient été réunis par le Royal Canadian Institute au cours du demi-siècle de sa brève existence. Ils avaient été analysés et catalogués par quelques-uns des premiers véritables scientifiques du Canada, réunis dans une des premières grandes collections dédiées au savoir dans ce jeune pays, collection qui, devenue trop volumineuse pour les modestes locaux de l'institut, avait été offerte au musée au début du XXe siècle. Les affiches et les kiosques d'information du Musée royal de l'Ontario n'indiquent pas quels objets sont issus de la collection initiale de l'institut, peut-être parce qu'on juge que cela importe peu. La valeur du savoir est intrinsèque et perpétuelle, et on peut être certain qu'elle sera préservée par toute institution publique chargée d'en assurer la garde. N'est-ce pas ainsi, en regardant comment une civilisation prend soin de ses précieuses connaissances et de la sagesse reçue en héritage, que nous jaugeons de sa vitalité ?

Un étage au-dessus, dans la galerie Schad de la biodiversité, les thèmes vont de la richesse de la civilisation humaine à l'abondance des trésors que nous offre la nature. Au milieu des reproductions d'ours polaires, de requins et d'un imposant rhinocéros blanc ayant vécu au Zoo de Toronto jusqu'à sa mort, en 2008, les affiches racontent l'histoire d'une crise grave. « À cause du réchauffement de la planète, peut-on lire, les scientifiques prédisent qu'il ne subsistera plus de glace dans l'Arctique d'ici à 2030. » Une autre pancarte ajoute : « La fonte des glaces due aux changements climatiques menace la capacité de l'ours polaire à chasser le phoque. »

« Extraire des ressources naturelles revient à menacer l'écosystème de la forêt boréale. »

« Plus de 250 millions de personnes sont touchées par la désertification. »

Comme toujours dans les musées, ces énoncés sont présentés comme des faits irréfutables. Si les écoliers grouillent ainsi autour des différentes expositions, c'est que le Musée royal de l'Ontario est perçu comme un dépositaire du savoir fondamental, un temple de la science, la base de tout. Qu'importe ce qu'un citoyen canadien va devenir un jour, il doit d'abord savoir tout cela.

Le plan Harper fait bien mieux que d'attaquer de front les énoncés de ce musée. Le cabinet du premier ministre ne nie pas le problème de la désertification, il cesse simplement de participer au programme international de l'ONU pour y remédier. Le ministère des Ressources naturelles ne remet pas en question la perte d'habitats et l'empoisonnement des eaux dans la forêt boréale du nord de l'Alberta, il prend juste la décision de démanteler l'appareil réglementaire qui permettrait de limiter les dégâts. Même le premier ministre s'est senti obligé de reconnaître, du bout des lèvres, la gravité de la crise des changements climatiques – « peut-être la plus grande menace pour l'avenir de l'humanité », a-t-il concédé une fois, au temps de sa minorité –, mais rien dans ce discours alambiqué ne l'a convaincu d'accorder à ce fléau la même priorité qu'à la fulgurante expansion de la capacité industrielle du pays à extraire et à brûler les carburants fossiles.

Le langage peut être un outil puissant. Il peut éclairer ou embrouiller avec la même efficacité. *Peut-être* soulève un doute – *peut-être pas* – et n'a pas du tout la même précision que *c'est une menace* ou *c'est à cause de*. Peu de mots sont aussi propices au flou artistique que le mot *utile*, et si la différence entre bannir des activités qui *constituent un danger pour l'habitat des poissons* et exclure des pratiques qui *nuisent gravement aux populations de poissons* peut sembler anodine aux yeux du simple observateur, elle prend des airs de catastrophe pour quiconque connaît bien les précédents juridiques en matière de législation environnementale. Le Musée canadien des civilisations, séparé du parlement par la rivière des Outaouais, va devenir sous l'égide du plan Harper le Musée canadien de l'histoire. Cela va-t-il vraiment changer quelque chose pour tous les enfants en excursion qui en sillonnent les allées ?

Peut-être est-il pédant de signaler que le mot *civilisation* est empreint de grandeur, d'ouverture ; c'est un mot global dans sa portée et universel dans son application, un mot qui embrasse la totalité du projet humain sur plus de 10 000 ans, alors que l'histoire ne parle que de ce qui s'est passé à un seul endroit, à un seul moment, et n'offre rien d'autre qu'une version particulière d'un événement. Une des découvertes les plus extraordinaires à avoir été faites dans les mois précédant le lancement de cet exercice de repositionnement du Musée des civilisations nous est venue de Patricia Sutherland, une archéologue rattachée au musée et spécialiste de l'Arctique qui a trouvé sur l'île de Baffin des artefacts indiquant que, des siècles avant l'arrivée de Colomb, les Scandinaves avaient établi là des camps où ils se livraient au commerce avec les peuples dorsétiens, depuis longtemps disparus. La fabuleuse découverte de Patricia Sutherland a été célébrée dans les pages du *National Geographic* et à l'émission de la CBC *The Nature of Things*, à l'automne 2012. Elle a fondamentalement bouleversé notre compréhension du passé précolombien du Canada, ajoutant un chapitre d'un demi-millénaire à l'histoire de l'exploration européenne et de ses échanges avec le Nouveau Monde.

En avril 2012, alors que *The Nature of Things* tourne

l'épisode sur ses travaux, Patricia Sutherland est sommairement renvoyée du poste qu'elle occupe au Musée canadien des civilisations. L'archéologue n'a fait aucune déclaration à la presse, pas plus que les personnes qui savaient pourquoi on la renvoyait au moment même où elle apportait au musée une reconnaissance internationale par cette découverte sans précédent. Andrew Gregg, qui a écrit et réalisé le documentaire de la CBC, a confié au *Ottawa Citizen* qu'il soupçonnait que tout cela était lié au changement de nom. « C'est un virage idéologique total, dit-il. L'histoire que privilégient ce gouvernement et nos institutions ne laisse aucune place aux Scandinaves. »

Peut-être le renvoi de Patricia Sutherland n'a-t-il rien à voir avec le fait que notre histoire est finalement plus compliquée que nous l'avons longtemps cru. N'empêche que le plan Harper a prévu un budget de 28 millions de dollars pour les commémorations entourant la guerre de 1812 et de plus d'un quart de million pour trouver le corps de John Franklin, pariant sur l'idée qu'à force de raconter la version simple de l'histoire, les Canadiens finiront par se désintéresser de tous ces petits détails qui ont construit leur passé.

J'aimerais bien miser contre ce pari que fait Harper. Je placerais mon argent sur une tout autre histoire du Canada, une histoire qui accorde la primauté à l'ouverture et au doute, à l'analyse infatigable et à la possibilité de réviser. Laissons aux quincailliers leur petite histoire toute simple et étriquée. Je préfère parier de mon côté que les Canadiens veulent poursuivre leurs efforts pour devenir autre chose qu'une nation de quincailliers. Je crois en mes chances de gagner parce que cette histoire est celle que je connais depuis que je suis né – pas par préférence ou par parti pris, mais parce que c'est celle que nous nous sommes racontée pendant un siècle avant que le plan Harper ne nous interrompe. Et si c'est la meilleure histoire que nous ayons à raconter, c'est parce qu'elle est vraie !

Je suis né dans une base militaire des Prairies en 1973. J'ai grandi au milieu de la machinerie militaire, d'une hiérarchie claire et nette, des feuilles d'érable rouges et d'un patriotisme ferme et tranquille. J'ai entendu parler d'environnement pour la première fois de ma vie quand Greenpeace a bloqué la route reliant la base des Forces canadiennes de Cold Lake à Grand Centre, dans le nord de l'Alberta, au milieu des années 1980, pour protester contre les essais de missiles de croisière américains. Les étudiants du secondaire, scolarisés hors de la base, avaient bénéficié d'une journée de congé parce que les bus ne passaient pas. J'ai partagé presque toute mon enfance entre les écoles de bases militaires et les établissements catholiques. J'ai ensuite étudié une année en gestion, ai détesté ça, puis me suis tourné vers l'histoire. Un de mes premiers cours magistraux portait sur le rôle de la fourrure, du chemin de fer et du blé dans notre histoire. Le fait est que j'avais au moins vingt ans quand j'ai commencé à m'intéresser à l'écologie, à la politique ou à la contestation. J'ai grandi, comme peu d'enfants, en totale immersion dans l'histoire officielle canadienne. Pourtant, bien avant d'avoir vingt ans, je savais que gérer notre environnement de manière responsable et adhérer à l'ouverture d'esprit nécessaire à l'enquête scientifique constituaient le fondement identitaire de mon pays. Je le savais parce que nous étions en 1993 et que nous en étions arrivés à ce stade, nous, les Canadiens.

Oui, le Canada a été une colonie marchande, un poste de traite, une source de matières premières, une nation qui dépend depuis sa naissance de trois partenaires commerciaux bien plus puissants qu'elle. Mais en cours de route, elle est devenue autre chose. C'est aussi une nation d'explorateurs curieux et de voyageurs prompts à s'adapter, une nation qui apprend à se racheter pour les ravages qu'elle a causés parmi les populations autochtones et qui, en plus, apprend à chérir la profonde connaissance de la terre que ces nations sont parvenues à préserver contre vents et marées. Le Canada, c'est Sandford Fleming et Banting et Best, c'est Norman Bethune, Lester B. Pearson et David Suzuki. Le plus grand héros de mon enfance était un gamin à qui le cancer avait pris une jambe et qui avait traversé le pays à la course afin de ramasser des fonds pour la recherche scientifique. Le Canada est la terre qui a vu naître Greenpeace, le pays hôte de la signature du protocole de Montréal. C'est la nation qui s'est déjà crue si vaste, si vide et si sauvage que jamais on ne pourrait en épuiser les ressources. Et puis la pêche à la morue et les gigantesques forêts de la côte pacifique nous ont appris à penser autrement, et nous voilà maintenant devant cette tâche longue et difficile de trouver une avenue autre et durable aux « fendeurs de bois » et aux « porteurs d'eau », et nous avons bien l'intention de montrer au monde quelles leçons nous avons tirées de notre gestion responsable de l'environnement tout au long de ce processus. Personne n'a été surpris d'apprendre que le mouvement de protection de l'environnement est né ici, que des traités internationaux portant sur la conservation ont été rédigés ici, que des Canadiens ont présidé le Sommet de la Terre de Rio, dirigé des groupes de travail du GIEC et fondé l'organisme Resilience Alliance. Parvenir à de délicats équilibres, négocier des solutions équitables et plaider en faveur de meilleures protections, voilà ce que nous avons toujours fait. Ce drapeau qu'étant jeune je voyais cousu sur le sac à dos de tout explorateur étranger rendait hommage à cette tradition.

Et si le Canada n'a jamais été aussi simple que ses symboles ni aussi vertueux qu'il prétend l'être, ces symboles n'en représentaient pas moins – et représentent toujours – les plus grandes aspirations et les ambitions les plus nobles de cette nation. Ce n'est pas un pays qui tire fierté d'avoir perturbé une conférence internationale sur le climat, et je suis d'ailleurs prêt à parier que c'est ce qui a empêché Jim Prentice de fanfaronner à ce sujet quand il est rentré à Calgary. Ce n'est pas un pays qui se perçoit comme le pire voyou environnemental de la planète, ce qui explique que même les dirigeants de l'industrie du gaz et du pétrole sont à la fois confus et sur la défensive quand on les en accuse. Ce n'est pas un pays qui muselle ses scientifiques, ou démantèle ses laboratoires de recherche, ou place ses fleurons de la recherche scientifique au service de l'entreprise. Voilà pourquoi je parie que les Canadiens ne vont plus tolérer très longtemps le plan Harper. Regardez-y de plus près, et vous verrez bien qu'il projette une image qui ne ressemble en rien à celle du Canada.

Remerciements

L'idée de ce livre est partie d'une commande que m'a faite le magazine *Corporate Knights*; aussi mon premier élan de gratitude va-t-il à mon rédacteur en chef, Tyler Hamilton, pour avoir attiré mon attention sur ce gouvernement frappé d'aveuglement volontaire qui réduit au silence ses scientifiques.

Cette petite graine a ensuite germé sous l'œil attentif de Nancy Flight, l'éditrice qui a réussi à piloter ce livre d'une main ferme à travers les eaux tumultueuses d'une quasi-faillite et de quelques autres aléas chaotiques de l'édition, tout cela sans jamais perdre sa lucidité, sa jovialité ni son enthousiasme. Merci aussi à Lesley Cameron pour son excellente révision, et à Rob Sanders et Zoe Grams, des éditions Greystone, pour leur soutien.

J'ai également une dette envers les dizaines de journalistes qui couvrent les activités du gouvernement conservateur au jour le jour. J'en remercie deux en particulier : Mike De Souza et Margaret Munro, de *Postmedia News*. De Souza suit les questions environnementales depuis le début des années Harper, et les documents d'Environnement Canada qu'il a obtenus grâce à ses demandes d'accès à l'information m'ont permis de bénéficier de recherches de première main très précieuses pour ce livre. Margaret

Munro s'est montrée tout aussi consciencieuse dans ses articles sur la science, particulièrement sur le musellement des chercheurs du gouvernement. L'un et l'autre illustrent à quel point les journalistes professionnels rendent au public un service irremplaçable dans une démocratie.

Outre les sources citées dans le texte, de nombreux collègues m'ont fait profiter de leur expertise et de leur enthousiasme pour l'écriture de ce livre. Je tiens à témoigner mon immense et éternelle reconnaissance à Nancy Close, Cheri Macaulay, Leor Rotchild, Natalie Odd, Marc Doll, Nimra Amjad-Archer, Kurt Archer, A. J. Brouillet, Chantal Chagnon, Jodi Christensen, Kris Demeanor, Janice Dixon, Dale D'Silva, Shane Gallagher, Jamie Herington, Gillian Hickie, Irene Johansen, Cheryl Johnson, Jana Johnson, John Manzo, Kate McKenzie, Alex Middleton, Peter Oliver, Evan Osenton, Becky Rock, Nicole Schon, Peter Schryvers, Natalie Sit, David Suzuki, Dave Thompson, Chris Wharton, Sheri-D Wilson, Dave Bagler, Katie Gibbs, aux centaines de volontaires de Turner4YYC et aux milliers d'électeurs de Calgary qui ont choisi de se joindre à moi dans le projet politique de loin le plus inspirant que j'aie jamais vécu. Et un merci tout particulier et amplement mérité à Elizabeth May, qui m'a jeté dans la mêlée et, ce faisant, m'a redonné foi en la démocratie parlementaire.

Mes remerciements aussi à Richard Peltier, Boris Worm, Andrew Weaver, Craig Pyette, Christopher Frey, Trena White, Janice Paskey, Jeremy Van Loon, John Vaillant, Gian-Carlo Carra, Trevor Day, Marcello DiCintio, Gerald Butts, Jay Ingram, Anne Casselman, Brian Singh, Dan Woynillowicz, Meike Wielebski, Angus MacIssac, Terry Rock, Ed Whittingham, Jason Markusoff, Andrew Heintzman, Justin Trudeau, Alex Steffen, Jeremy Klaszus, John Streicker, Naheed Nenshi, Gillian Deacon, Grant Gordon et Jessica Cameron pour leurs conseils, leur aide, leur amitié, leur hospitalité et leur soutien professionnel.

Je suis infiniment reconnaissant à la Berton House de Dawson City, au Yukon, pour m'avoir offert une longue et merveilleuse retraite pendant l'écriture d'une partie de ce livre. Mes remerciements au Writers' Trust of Canada, et tout spécialement à James Davies pour sa gestion du programme destiné aux écrivains en résidence, au Conseil des arts du Canada pour son aide au financement, et à la très accueillante et enthousiaste communauté artistique de Dawson pour m'avoir permis de vivre une expérience inoubliable. Des remerciements tout particuliers à ces quelques résidants de Dawson : Lulu Keating, Dan et Laurie Sokolowski, Shelley et Greg Hakonson, Gord Macrae, Meg Walker et Peter Menzies.

Et enfin, ma gratitude est si grande pour le soutien que j'ai reçu sur le front familial qu'il ne m'est pas possible de la traduire ici en quelques mots. À mes parents, John et Margo Turner, et à mon beau-père, Bruce Bristowe, pour avoir été fidèles à eux-mêmes (donc extraordinaires) du début à la fin. À mes enfants, Sloane et Alexander, qui continuent d'inspirer au quotidien mon combat pour que l'avenir de ce pays soit le meilleur possible. Mais dans ce projet comme dans tous les autres, c'est à ma femme, Ashley Bristowe, que je dois manifester ma plus profonde reconnaissance, envers elle que je suis le plus redevable. Elle est ma meilleure éditrice, ma plus précieuse collaboratrice, et, sans elle, ce livre, comme bien d'autres choses, n'aurait pas vu le jour.

Chronologie sélective de la science au Canada

1608 : Samuel de Champlain, navigateur, cartographe et explorateur, fonde à Québec le premier établissement permanent de la Nouvelle-France.

1635 : Fondation à Québec du collège des Jésuites, le premier établissement d'enseignement supérieur du Nouveau Monde.

1747-1749 : Sous le règne du gouverneur Roland-Michel Barrin de la Galissonière, la colonie de la Nouvelle-France devient pour une brève période un centre d'érudition où sont dispensés les enseignements des Lumières.

1820 (à partir de) : Des vagues successives d'immigrants écossais amènent au Canada des scientifiques et des ingénieurs de premier plan.

1842 : La Commission géologique du Canada est fondée par William Logan.

1849 : Le Royal Canadian Institute (RCI) est fondé par Sir Sandford Fleming et Kivas Tully.

1853 : Le gouvernement britannique abandonne son observatoire magnétique de Toronto ; le Royal Canadian Institute prend la relève.

1879 : Le Royal Canadian Institute présente une conférence de Sir Sandford Fleming sur son concept de fuseaux horaires.

1882 : Création de la Société royale du Canada ; en 1884, elle accueille à Montréal la première réunion de la British Association for the Advancement of Science à se tenir en dehors du Royaume-Uni.

1886 : Création à Ottawa de la Ferme expérimentale centrale.

1899 : La station biologique de St. Andrews, premier centre de recherche marine au Canada, entre en fonction sur un chaland flottant à St. Andrews, Nouveau-Brunswick.

1911 : Sir Robert Borden, élu premier ministre, fait entrer le Canada dans une ère de réformes progressistes de la fonction publique.

1916 : Le gouvernement de temps de guerre de Borden crée le Conseil consultatif honoraire de recherches scientifiques et industrielles, qui deviendra plus tard le Conseil national de recherches du Canada.

1918 : Le gouvernement conservateur de Borden vote la Loi sur la fonction publique, en vertu de laquelle le gouvernement s'engage à fonder ses politiques sur les preuves scientifiques fournies par des experts travaillant pour des agences fédérales indépendantes.

1923 : Fondation de l'Association canadienne française pour l'avancement des sciences (ACFAS), devenue par la suite l'Association francophone pour le savoir.

1929 : Ouverture du premier laboratoire du Conseil national de recherche à Ottawa.

1968 : Création de la Région des lacs expérimentaux (RLE) dans le nord de l'Ontario, sous la direction du Conseil de recherches sur les pêcheries du Canada.

1973-1974 : Sous la direction de son cofondateur, David Schindler, la RLE établit un lien de cause à effet entre les déversements agricoles et industriels de phosphate et l'eutrophisation responsable de la prolifération catastrophique des algues dans les Grands Lacs.

1976 : Schindler et des collègues de la RLE entament leurs recherches sur les pluies acides.

1979 : Les branches scientifiques et bureaucratiques du régime canadien des pêcheries sont unifiées en une seule et même entité : le ministère des Pêches et des Océans (MPO).

1985 : Un article retentissant paru dans le magazine *Science* établit un lien causal entre les émissions de dioxyde de soufre des centrales au charbon et autres procédés industriels et les pluies acides.

1987 : Quarante-six pays se rencontrent à Montréal pour la signature d'un accord restreignant l'usage des chlorofluorocarbones (CFC), responsables de la destruction de la couche d'ozone. L'entente, qui sera par la suite ratifiée par 151 pays de plus, portera le nom de « protocole de Montréal ».

1987 : La Commission mondiale sur l'environnement et le développement publie le rapport Brundtland, un document historique qui normalise le concept de « développement durable » et amorce le processus qui va mener au Sommet de la Terre de Rio en 1992, puis au protocole de Kyoto pour la lutte contre les changements climatiques.

1988 : Le gouvernement canadien de Brian Mulroney organise la conférence « L'atmosphère en évolution : implications pour la sécurité du globe », à Toronto. Il s'agit de la première rencontre internationale sur les changements climatiques et les autres questions soulevées par le rapport Brundtland.

1990 : Lors de la Conférence mondiale sur le climat, à Genève, une délégation comptant des représentants des trois partis politiques fédéraux travaille en étroite collaboration à la politique canadienne sur le climat.

1991 : La Commission mixte internationale passe l'Accord Canada–États-Unis sur la qualité de l'air, mieux connu sous le nom de « traité sur les pluies acides », afin de réduire la pollution transfrontalière causant les pluies acides.

1992 : La pêche à la morue de l'Atlantique, autrefois la plus prospère de la planète, est interdite à la suite d'un moratoire instauré d'urgence après que les stocks se sont effondrés à cause de l'acceptation de quotas deux fois supérieurs à l'objectif de conservation.

1992 : Ouverture du Laboratoire de recherche atmosphérique en environnement polaire (PEARL), sur l'île d'Ellesmere, à 1100 kilomètres au sud du pôle Nord.

Janvier 2006 : Le Parti conservateur rafle 124 sièges lors des élections fédérales, formant le premier gouvernement minoritaire de Stephen Harper. Harper fait de Rona Ambrose, une députée sans aucune expérience, sa première ministre de l'Environnement.

Janvier 2007 : Rona Ambrose est remplacée par John Baird au poste de ministre de l'Environnement.

Novembre 2007 : Environnement Canada émet un premier protocole de communications en vertu duquel le personnel du ministère, y compris les chercheurs et les scientifiques, doit transmettre toutes les demandes venant des médias à des conseillers en communication (aussi appelés « doreurs d'image ») et fournir des « réponses préapprouvées » lorsque nécessaire.

Octobre 2008 : Après de nouvelles élections, les conservateurs retournent au pouvoir pour un second mandat minoritaire, avec Jim Prentice à l'Environnement.

Décembre 2009 : Lors de la Conférence de Copenhague sur le climat (COP15), l'opposition du Canada à toute nouvelle entente ayant pour objectif le succès du protocole de Kyoto est largement décriée.

Février 2010 : Invité à se prononcer dans un déjeuner d'affaires à Calgary, Jim Prentice avertit ses auditeurs que le Canada court le risque d'être perçu « comme l'exemple parfait du pays qui exploite ses ressources sans respecter l'environnement » à cause de ses réglementations laxistes sur l'augmentation de l'exploitation des sables bitumineux.

Juin 2010 : Le gouvernement conservateur abolit le questionnaire détaillé obligatoire du recensement.

Juillet 2010 : La politique du gouvernement conservateur sur le VIH et le sida n'octroie qu'un financement ridicule au programme de traitement recommandé par les experts de la santé publique. Le gouvernement refuse également de signer la déclaration de Vienne, qui défend les « approches fondées sur les preuves scientifiques » en matière de médication de l'ONU dans sa lutte pour éradiquer le VIH et le sida.

Novembre 2010, le 4 : Démission-surprise de Jim Prentice, qui quitte à la fois le Cabinet et le Parlement. John Baird le remplace à l'Environnement.

Décembre 2010 : À la Conférence sur le climat de Cancún, John Baird pulvérise un record en recevant cinq trophées Fossile du jour pour l'intransigeance dont fait preuve le Canada et pour son intention de renier ses engagements envers le protocole de Kyoto.

Mai 2011 : Les conservateurs de Stephen Harper obtiennent leur premier mandat majoritaire. Peter Kent, un député recrue, obtient le portefeuille de l'Environnement.

Septembre 2011 : Ignorant l'avis des experts légaux et l'opposition d'organismes responsables de l'exécution de la loi, dont l'Association du Barreau canadien et l'Association canadienne des libertés civiles, le gouvernement conservateur dépose son projet de loi omnibus sur le crime, qui impose des peines minimales obligatoires et prévoit l'élimination des condamnations avec sursis ainsi que quelques autres réformes. Il prend force de loi en mars 2012.

Automne 2011 : Peter Kent et Joe Oliver, le ministre des Ressources naturelles, et leurs employés rencontrent les représentants de l'industrie du pétrole et les lobbyistes de l'industrie des carburants fossiles, qui leur recommandent de modifier plusieurs lois environnementales en un seul projet de loi omnibus.

Octobre-décembre 2011 : Le Groupe des neuf, un groupe non officiel constitué de ministres du Cabinet et de quelques fidèles du parti, se rencontre en privé quelques soirs par semaine afin de décider des coupes qui émailleront le prochain budget fédéral.

Janvier 2012 : Dans une lettre ouverte adressée à quelques grands quotidiens, Joe Oliver, le ministre des Ressources naturelles, s'en prend à l'« idéologie radicale » de « certains groupes environnementaux et radicaux » financés par des « groupes d'intérêt étrangers » qui s'opposent à l'approche du gouvernement dans le domaine du développement des ressources.

Février 2012 : Lors d'une rencontre de l'Association américaine pour l'avancement des sciences, à Vancouver, une lettre ouverte signée par de nombreuses organisations participantes (dont la Canadian Journalists for Free Expression et l'Association canadienne des rédacteurs scientifiques) est envoyée au bureau du premier ministre pour demander un « accès sans entrave » aux scientifiques du gouvernement. L'ACFAS proteste également contre ce qu'elle appelle « un bâillon imposé aux chercheurs ».

Mars 2012 : Le gouvernement conservateur dépose le projet de loi budgétaire omnibus C-38, qui révise une demi-douzaine de lois clés sur l'environnement, réécrit la Loi sur les pêches, prévoit la fermeture de plusieurs installations de recherche de premier plan, et réduit la capacité du gouvernement à exercer une surveillance et à réagir en cas de problèmes environnementaux.

Avril 2012 : Des scientifiques d'Environnement Canada qui assistent à la Conférence de l'Année polaire internationale à Montréal sont accompagnés de « conseillers en communication » qui interviennent dans toutes leurs communications non officielles.

Mai 2012 : On informe les employés de l'Institut des eaux douces de Winnipeg que la Région des lacs expérimentaux sera fermée à cause des compressions budgétaires prévues dans le projet de loi C-38. L'Institut Maurice-Lamontagne de Rimouski est aussi la cible d'importantes coupures.

Juin 2012 : Après un vote marathon et plus de 300 amendements imposés par l'opposition à la Chambre des communes, le projet de loi budgétaire omnibus C-38 est voté.

Juillet 2012, le 10 : Partis du centre des congrès d'Ottawa, les 2000 manifestants (dont des centaines de scientifiques en blouse blanche) de la Marche funèbre pour la preuve se dirigent vers la Colline du Parlement pour protester contre l'attitude du gouvernement envers la science.

Septembre 2012, le 17 : À la Chambre des communes et dans différentes communications publiques, les députés conservateurs évoquent douze fois dans la même journée la « taxe sur le carbone mortelle pour l'emploi ».

Hiver 2012-2013 : Frappé par des coupes budgétaires, Parcs Canada annonce que des parcs nationaux à travers tout le pays devront fermer leur centre d'accueil pour la saison froide, réduire leurs activités hivernales et dépendre de bénévoles pour le déneigement des sentiers de promenade. Toujours à cause des compressions, la Fondation canadienne pour les sciences du climat et de l'atmosphère et le Laboratoire de recherche atmosphérique en environnement polaire (PEARL) ferment leurs portes pour l'hiver, créant ainsi une interruption dans le flux de données pour la première fois en huit ans.

Mars 2013 : Le gouvernement conservateur retire unilatéralement son soutien à la Convention des Nations Unies sur la lutte contre la désertification, devenant ainsi le seul pays de l'ONU à ne pas participer à ce programme.

Avril 2013 : L'Institut international du développement durable (IISD) accepte de se charger de la gestion de la RLE, évitant ainsi au célèbre laboratoire une fermeture définitive.

Mai 2013 : Les premiers résultats de l'Enquête nationale sur les ménages, qui remplace la version détaillée du recensement, suscitent de puissantes réserves, les résultats étant beaucoup moins fiables que ceux du recensement obligatoire supprimé par le gouvernement.

Mai 2013 : Le financement de PEARL est rétabli. Un budget de plus de 16 millions de dollars est accordé au ministère des Ressources naturelles fédéral pour une campagne publicitaire au Canada et aux États-Unis vantant le bilan du Canada en matière d'« exploitation responsable des ressources ».

Sources

Nous avons fait l'impossible pour vérifier chacune de nos sources et, au moment de publier, tous les liens fonctionnaient, mais les URL changent et les numéros de pages sont parfois mal retranscrits. Si vous avez besoin de clarification concernant le moindre détail ou la moindre donnée contenue dans ce livre, prière de contacter Chris Turner à waronscience@gmail.com.

Chapitre 1 • La marche des blouses blanches

La description des origines, de la planification et du déroulement de la Marche funèbre pour la preuve se fonde sur de longues entrevues réalisées avec les principaux acteurs de l'événement, dont Katie Gibbs (17 septembre 2012), Diane Orihel (9 octobre 2012), et Jeff Hutchings (5 avril 2013).

Les descriptions physiques de la marche et de ses participants sont tirées de différentes sources en ligne :

Meagan Fitzpatrick (CBC), « Death of scientific evidence mourned on Parliament Hill », 10 juillet 2012. [www.cbc.ca/news/politics/story/2012/07/10/pol-death-evidence-protest-parliament-hill.html] On trouve aussi dans ce reportage la chronique que la reporter de CBC Kady O'Malley's a réalisée sur son blogue.

David Ljunggren (Reuters), « Canadian Scientists Protest against Spending Cuts », 10 juillet 2013. [www.reuters.com/article/2012/07/10/canada-politics-science-idUSL2E8IA5CP20120710]

John Hansen (vidéo YouTube). [www.youtube.com/watch?v=1aT5JZ-ppME]

On peut trouver la transcription de tous les discours prononcés lors de la marche sur le site The Tyee. [thetyee.ca/Opinion/2012/07/16/Death-of-Evidence]

La description de la réunion du personnel de L'Institut des eaux douces de Winnipeg, où la fermeture de la RLE a été annoncée, est tirée d'une entrevue de l'auteur avec Diane Orihel, le 9 octobre 2012.

La citation d'Andrew Coyne, à la page 26, vient d'un article du *National Post,* « Bill C-38 Shows us How Far Parliament has Fallen », paru le 30 avril 2012. [fullcomment.nationalpost.com/2012/04/30/andrew-coyne-bill-c-38-shows-us-how-far-parliament-has-fallen]

La citation de Cynthia Bragg, à la page 26, vient d'un article du *Guelph Mercury,* « Beware of What's Beyond the Rhetoric in the Federal Budget », paru le 8 avril 2012. [www.guelphmercury.com/opinion-story/2781438-beware-of-what-sbeyond-the-rhetoric-in-the-federal-budget]

Quelques articles parus dans la presse internationale à l'adresse suivante : www.deathofevidence.ca/announcementfr.

Et dans la presse québécoise : Stéphanie Marin, *La Presse,* « Face aux compressions, des scientifiques manifestent à Ottawa », www.lapresse.ca/actualites/national/201207/10/01-4542447-face-aux-compressions-des-scientifiques-manifestent-a-ottawa.php ; Matthew Dubé, *Huffington Post,* quebec.huffingtonpost.ca/matthew-dube/stephen-harper-scientifiques_b_1671339.html.

La couverture du *Guardian* est d'Alice Bell, « Why Canadian Scientists Need our Support », *The Guardian,* 11 juillet 2012. [www.guardian.co.uk/commentisfree/2012/jul/11/canada-scientists-strike-protests]

La citation de Christopher Hume, à la page 32, vient d'un article du *Toronto Star,* « Stephen Harper Is Blind to Science », paru le 13 juillet 2012. [www.thestar.com/news/gta/2012/07/13/christopher_hume_stephen_harper_is_blind_to_science.html]

La citation de Stephen Harper, à la page 32, a été abondamment reprise. Voir, par exemple : « Harper Defends Independence of Pipeline Approval Process », CBC News, 7 août 2012. [www.cbc.ca/news/business/story/2012/08/07/pol-gateway-tuesday-harper-bc.html]

Chapitre 2 • Paysage au crépuscule

La citation de George Monbiot, à la page 38, vient d'un article du *Guardian,* « 2012 : The Year We Did our Best to Abandon the Natural World », 31 décembre 2012. [www.guardian.co.uk/commentisfree/2012/dec/31/year-abandon-natural-world]

Les informations sur l'état du climat global sont issues de différentes sources. Pour les températures et les conditions aux États-Unis et dans le reste du monde, voir :

Neela Banerjee *(Los Angeles Times),* « 2012 Was Among the 10 Hottest Years on Record Globally », 15 janvier 2013. [articles.latimes.com/2013/jan/15/science/la-sci-sn-higher-global-temperatures-nasa-noaa-20120115]

Justin Gillis *(New York Times),* « Not Even Close: 2012 Was Hottest Ever in U.S. », 8 janvier 2013. [www.nytimes.com/2013/01/09/science/earth/2012-was-hottest-year-ever-in-us.html]

Pour les manifestations climatiques extrêmes et des détails sur la météo au Canada, voir :

CBC News/Presse canadienne, « "Big Heat" Tops Canadian Weather Stories of 2012 », 20 décembre 2012. [www.cbc.ca/news/canada/story/2012/12/20/canada-top-weather-stories-2012.html]

Niamh Scallan *(Toronto Star),* « Fruit Industry in Ontario Devastated by Extreme Weather », 9 mai 2012. [www.thestar.com/business/2012/05/09/fruit_industry_in_ontario_devastated_by_extreme_weather.html]

Maclean's/Presse canadienne. « Pine Beetles so Widespread They're Contributing to Climate Change: Study », 25 novembre 2012. [www2.macleans.ca/2012/11/25/pine-beetles-so-widespread-theyre-contributing-to-climate-change-study]

Aaron Hinks *(Grande Prairie Herald Tribune),* « Pine Beetles Continue to Devastate Boreal Forest », 9 septembre 2012. [www.dailyheraldtribune.com/2012/09/09/pine-beetles-continue-to-devastate-boreal-forest]

Les détails sur la fonte des glaces arctiques en 2012 viennent de l'Organisation météorologique mondiale, « Le compte rendu annuel de l'OMM sur l'état du climat confirme que 2012 se classe parmi les dix années les plus chaudes ». [www.wmo.int/pages/mediacentre/press_releases/pr_972_fr.html]

Pour la place du Canada en matière de gestion responsable de l'environnement, voir :

CBC News, « Canada last among G8 on climate change action: report », 1er juillet 2009. [www.cbc.ca/news/technology/story/2009/07/01/tech climate-scorecard-wwf.html]

The Huffington Post Canada, « Canada's Environmental Health Lags Developed World: Conference Board Report », 17 janvier 2013. [www.huffingtonpost.ca/2013/01/17/canada-environmental-healthranking_n_2497459.html]

Pour des détails sur l'épidémie d'*E. coli* chez XL Foods, voir : *Toronto Star*/Presse canadienne, « XL Foods: Independent Review Blames Lax Attitudes for Beef Recall », 5 juin 2013. [www.thestar.com/news/canada/2013/06/05/xl_foods_independent_review_blames_lax_attitudes_for_beef_recall.html]

Pour la salubrité de l'eau dans les communautés autochtones, voir : âpihtawikosisân (blogue), « Dirty Water, Dirty Secret », 8 novembre 2012. [apihtawikosisan.com/2012/11/08/dirty-water-dirty-secret-full-article]

La citation de Munir Shiekh est tirée de son essai, « Good Data and Intelligent Government », *New Directions for Intelligent Government in Canada* (publié par le Centre for the Study of Living Standards, et que l'on peut obtenir en ligne : www.csls.ca/festschrift/Sheikh.pdf, p. 333).

La liste « CensusWatch » de Datalibre.ca se trouve au datalibre.ca/census-watch.

Pour des détails sur l'Enquête nationale auprès des ménages (ENM) et l'avertissement de Statistique Canada concernant la fiabilité des informations, voir l'article de Rennie Steve (*Toronto Star*/Presse canadienne) intitulé « National Household Survey: Statistics Canada disclaimer warns of "non-response error" », 8 mai 2013. [www.thestar.com/news/canada/2013/05/08/national_household_survey_statistics_canada_disclaimer_warns_of_nonresponse_error.html]

La citation concernant le « protocole média » de 2008 d'Environnement Canada est tirée de l'article de Pallab Ghosh (BBC News) intitulé « Canadian Government Is 'Muzzling its Scientists' », 17 février 2012. [www.bbc.co.uk/news/science-environment-16861468]

Pour des détails sur l'intervention du Bureau du Conseil privé pour faire taire Kristi Miller, voir l'article de Margaret Munro *(Postmedia News)* intitulé « Ottawa Silences Scientist Over West Coast Salmon Study », *Vancouver Sun,* 17 juillet 2011. [www.vancouversun.com/technology/Ottawa+silences+scientist+over+West+Coast+salmon+study/5162745/story.html]

Les péripéties de Mike De Souza avec Environnement Canada et avec David Tarasick sont racontées par Kai Benson dans « Silence of the Labs », *Ryerson Review of Journalism,* 2 janvier 2013. [www.rrj.ca/m25739]

Mike De Souza *(Postmedia News)* a aussi écrit : « Scientist Speaks Out After Finding "Record" Ozone Hole over Canadian Arctic », *National Post,* 21 octobre 2011. [news.nationalpost.com/2011/10/21/scientist-speaks-out-after-finding-record-ozone-hole-over-canadian-arctic]

La stratégie d'Environnement Canada pour contrôler les médias lors de la conférence de l'Année polaire internationale est dévoilée par Margaret Munro *(Postmedia News)* dans « Critics Pan Instructions to Environment Canada Scientists at Montreal Conference », 23 avril 2012. [www.canada.com/technology/national/6500175/story.html]

La citation de *Nature* est tirée de l'éditorial « Frozen Out », 1er mars 2013. [www.nature.com/nature/journal/v483/n7387/full/483006a.html]

La citation tirée de la lettre ouverte de l'Association américaine pour l'avancement des sciences et les détails entourant sa rédaction nous viennent de l'article de Petti Fong intitulé « Federal Scientists Say They're Being Muzzled », *Toronto Star,* 17 février 2012. [www.thestar.com/news/canada/2012/02/17/federal_scientists_say_theyre_being_muzzled.html]

La citation de Stephen Strauss est tirée d'une entrevue réalisée avec l'auteur le 18 avril 2012.

Les détails concernant la politique du gouvernement fédéral sur le sida et la critique qu'en fait Julio Montaner (y compris sa citation) se trouvent dans « Ottawa's HIV/AIDS Funding Disappoints Some », CBC News, 20 juillet 2010. [www.cbc.ca/news/technology/ottawa-s-hiv-aids-funding-disappoints-some-1.889886]

On trouve de nombreux reportages, réactions et critiques ciblant le projet de loi omnibus sur la criminalité dans les médias en 2010. Pour un bon exemple, consulter cet éditorial de Charles Pascal dans le *Toronto Star* : « Harper Tough on Crime but Soft on Facts », 17 novembre 2010. [www.thestar.com/opinion/editorialopinion/2010/11/17/harper_tough_on_crime_but_soft_on_facts.html] Il résume le rapport de Paula Mallea, « The Fear Factor: Stephen Harper's Tough on Crime Agenda », publié par le Centre canadien des politiques alternatives (le rapport au complet se trouve au www.policyalternatives.ca/publications/reports/fear-factor).

Pour un survol de C-38 qui met l'accent sur les compressions touchant les sciences environnementales, voir « Green Gets Mean with Ottawa », *Vancouver Sun,* 8 juin 2012. [www.canada.com/vancouversun/news/westcoastnews/story.html?id=1354a576-d17c-49eb-a88a-d14801cb5c19]

Voir aussi :

Postmedia News. « Tories Cutting Vital Climate Science, Critics Say », *National Post,* 14 septembre 2011. [news.nationalpost.com/2011/09/14/tories-cutting-vital-climate-science-critics-say]

Suzanne Goldenberg. « Canada's PM Harper Faces Revolt by Scientists », *The Guardian,* 10 juillet 2012. [www.guardian.co.uk/environment/2012/jul/09/canada-stephen-harper-revolt-scientists]

Doug Cuthand. « Ottawa Socking it to First Nations Institutions », *Saskatoon StarPhoenix,* 27 avril 2012. [www2.canada.com/saskatoonstarphoenix/news/forum/story.html?id=9de5c65e-1f17-4fd4-91c5-f19d2102fa73]

Allan Woods (bureau d'Ottawa). « Conservative Government Shutting Down World-Class Freshwater Research Facility in Northern Ontario », *Toronto Star,* 17 mai 2012. [www.thestar.com/news/canada/2012/05/17/conservative_government_shutting_down_worldclass_freshwater_research_facility_in_northern_ontario.html]

La citation de Scott Vaughan, à la page 50, est tirée d'un article de Mike De Souza : « Stephen Harper's Environment Watchdog to Investigate "Risks" of Federal Budget Bill », *Postmedia News,* 7 septembre 2012. [o.canada.com/news/stephen-harpers-environment-watchdog-to-investigate-risks-of-federal-budget-bill]

D'autres détails sur la restructuration du Conseil national de recherches (y compris sur la citation de Gary Goodyear au sujet du « concierge ») se trouvent dans « National Research Council to "Refocus" to Serve Business », CBC News, 6 mars 2012. [www.cbc.ca/news/technology/national-research-council-to-refocus-to-serve-business-1.1216848] Pour des références et des sources supplémentaires, voir les notes du chapitre 4.

Pour des détails sur les impacts environnementaux de C-38, voir Larry Pyn : « Feds Walk Away from Environmental Assessments on Almost 500 Projects in B.C. », *Vancouver Sun,* 22 août 2012. [www.vancouversun.com/technology/Federals+dump+environmental+assessments+almost+projects/7125419/story.html]

Concernant l'impact des contrôles de l'Agence du revenu du Canada sur les groupes environnementalistes, voir Kate Webb, « One Year and $5 Million Later, Harper's Charity Crackdown Nets Just One Bad Egg », *Metro News,* 30 mars 2013. [metronews.ca/news/vancouver/613999/one-year-and-5-million-later-harpers-charity-crackdown-nets-just-one-bad-egg]

Pour des détails sur l'opposition au changement à la Loi sur les pêches, voir « Fisheries Changes Attacked in Prestigious Science Journal », CBC News/Presse canadienne, 22 juin 2012. [www.cbc.ca/news/canada/story/2012/06/22/pol-cp-fisheries-scientists-budget-bill-concerns.html?cmp=rss]

La citation de David Schindler, à la page 53, est tirée d'un article de Margaret Munro : « Canada Stops Funding Famed Experimental Lakes Science Program », Postmedia News, 17 mai 2012. [www.vancouverdesi.com/news/canada-stops-funding-famed-experimental-lakes-science-program/140148]

Les détails sur le Groupe des neuf et son travail de coupe pour le C-38 sont tirés d'un article de Jason Fekete : « He's Got the Future of the PS in his Hands », *Ottawa Citizen,* 17 mars 2012. [www2.canada.com/ottawacitizen/news/observer/story.html?id=fd79af66-4188-4ad2-be76-d738451b3af9] La citation tirée du discours de Tony Clement au Manning Centre, aux pages 53-54, vient du même article.

La citation de Christopher Plunkett, à la page 54, est tirée d'un article de Juliet Eilperin, « Canadian Government Overhauling Environmental Rules to Aid Oil Extraction », *Washington Post,* 3 juin 2012. [articles.washingtonpost.com/2012-06-03/national/35460476_1_tar-sands-canadiangovernment-macdonald-laurier-institute]

La citation d'Allan Gregg, aux pages 57-58, est tiré du texte d'une conférence qu'il a donnée à l'Université Carleton : « 1984 in 2012—The Assault on Reason ». Texte affiché sur son blogue à l'adresse suivante : allangregg.com/?p=80.

La citation d'Allan Gregg, à la page 58, est tirée d'un article qu'il a publié dans le *Toronto Star*: « In Defence of Reason », 8 octobre 2012. [www.thestar.com/opinion/editorialopinion/2012/10/08/in_defence_of_reason.html]

La citation de Daniel Patrick Moynihan, à la page 59, apparaît dans de nombreuses versions et est parfois attribuée à d'autres personnes. La version de ce texte nous vient du blogue de Jay Rosen, PressThink : « "You're Not Entitled to Your Own Facts" vs. That's Your Opinion. Kiss my Ad », 24 août 2012. [pressthink.org/2012/08/youre-not-entitled-to-your-own-facts-vs-thats-your-opinion-kiss-my-ad]

Les détails sur la fermeture du PEARL et les citations de la page 62 sont tirées d'entrevues qu'a réalisées l'auteur avec James Drummond, chercheur principal du PEARL, le 18 avril 2012.

Voir aussi « High Arctic Research Station Forced to Close », CBC News, 28 février 2012, à l'adresse suivante : www.cbc.ca/news/politics/story/2012/02/28/science-pearl-arctic-research.html ; et l'article de Margaret Munro : « Arcticpearl Tossed Away », *Winnipeg Free Press*, 24 mars 2012, à l'adresse suivante : dl1.yukoncollege.yk.ca/ipy/discuss/msgReader$1621?y=2012&m=4&d=12&print-friendly=true.

Les détails concernant l'annonce du financement de la Station de recherche du Canada dans l'Extrême-Arctique (et la citation de Harper lors de la conférence de presse de Cambridge Bay) sont tirés d'un reportage de Meagan Fitzpatrick : « "Science and Sovereignty" Key to New Arctic Research Centre », CBC News, 23 août 2012. [www.cbc.ca/news/politics/story/2012/08/23/pol-harper-thursday-arctic-research.html]

Les priorités de la Station de recherche canadienne de l'Extrême-Arctique, citées à la page 63, apparaissent sur le site du gouvernement du Canada. [www.science.gc.ca/default.asp?lang=Fr&n=E8303E6C-1]

Les détails concernant la reprise du financement de PEARL se trouvent dans « High Arctic Research Station Saved by New Funding », CBC News, 17 mai 2013. [www.cbc.ca/news/technology/high-arctic-research-station-saved-by-new-funding-1.1360779]

Les détails sur le programme de motoneige furtive sont tirés de « Operation Silent Snowmobile: New Vehicle Planned for Covert Arctic Ops », *Huffington Post*, 21 août 2011. [www.huffingtonpost.ca/2011/08/21/operation-silent-snowmobile_n_932334.html]

Les détails du reportage du *Ottawa Citizen* sur les études sur la neige du CNR viennent d'un article de Tom Spears : « Canadian Bureaucracy and a Joint Study with NASA », *Ottawa Citizen*, 20 avril 2012.

Les documents relatant la longue quête de Spears sont archivés en ligne au www.scribd.com/doc/89708162/A-simple-question-a-blizzard-of-bureaucracy.

La citation de Stephen Strauss, à la page 69, est tirée d'une entrevue réalisée par l'auteur le 18 avril 2012.

Les détails concernant la lettre ouverte des professionnels de la santé au gouvernement fédéral sont tirés de « Huit groupes, un message : rétablir la couverture des services de santé aux réfugiés », Patrick Sullivan, communiqué de presse de l'Association médicale canadienne, 24 mai 2012. [www.cma.ca/huit-groupes-un-message-refugies]

La citation de Otto Langer, à la page 71, et d'autres détails sur les lacunes de Pêches et Océans dans l'évaluation du projet Northern Gateway, sont tirés de « Northern Gateway Review Hobbled by Budget Cuts, Critics Say », CBC News/Presse canadienne, 19 août 2012. [www.cbc.ca/news/canada/calgary/story/2012/08/19/gateway-pipeline-science.html?cmp=rss]

L'historique et les bilans de la Région des lacs expérimentaux (RLE) dans ce chapitre et les suivants sont issus de différentes sources :

Entrevues de l'auteur avec David Schindler ;

RLE, « ELA Scientific Milestones and Highlights » (publications de la RLE, disponibles en ligne au : www.experimentallakesarea.ca/images/ELA%20Scientific%20Milestones%20and%20Highlights.pdf) ;

Peter Andrey Smith, « Troubled Waters », *The Walrus*, juillet-août 2013. [thewalrus.ca/troubled-waters/] ;

Bartley Kives, « Clear Thinking Experimental Lakes Area One of Most Unusual Outdoor Labs in the World », *Winnipeg Free Press*, 17 août 2008 ;

Tom Spears et Ed Struzik, « Scientist's $1,000,000 Prize Tops an Outspoken Career: Freshwater Expert David Schindler Often Warned by Government Bosses », *Vancouver Sun*, 6 novembre 2001 ;

Stephen Strauss, « Outdoor Lakes Lab Fears Extinction », *Globe and Mail,* 13 juin 1996 ;

Dan Lett, « Lake Research Revived », *Winnipeg Free Press,* 10 juin 1996 (y compris la citation « une tempête de protestations ») ;

Jon R. Luoma, « Acid Rain Studies Make Real-Life Labs of Canada Lakes », *New York Times,* 26 septembre 1988.

Voir aussi « Phosphorus, Detergent, and Canada's Experimental Lakes », sur le blogue *Evidence and Error,* 20 mai 2012. [evidenceanderror.blogspot.ca/2012/05/phosphorous-detergent-and-canadas.html]

Pour des détails sur l'étude de 2013 portant sur les cancérigènes et les sables bitumineux, voir l'article de Elizabeth Shope : « Study Provides Damning Evidence That Tar Sands Development Causing Carcinogenic Pollution in Alberta », publié sur *Switchboard,* le blogue du personnel du NRDC, le 8 janvier 2013. [switchboard.nrdc.org/blogs/eshope/study_provides_damning_evidenc.html] Voir aussi : « Lake Effect "Smoking Gun" », *Vancouver Sun,* 26 janvier 2013.

Chapitre 3 • De l'aube au couchant

La source principale ayant servi à illustrer les débuts de la science au Canada est *A Curious Field-book: Science & Society in Canadian History,* de Trevor Harvey Levere et Richard A. Jerrell, Oxford University Press, 1974.

D'autres détails sur les origines et les activités du Royal Canadian Institute au XIXe siècle sont tirés du site Web de l'Institut : www.royalcanadianinstitute.org.

Les discussions sur les contributions de Robert Borden à la tradition progressiste canadienne sont tirées de « Robert Borden and the Rise of the Managerial Prime Minister in Canada », de Ken Rasmussen (article présenté lors du 78e congrès annuel du Conseil de recherches en sciences humaines, Ottawa, mai 2009 ; disponible en ligne au : www.cpsa-acsp.ca/papers-2009/Rasmussen.pdf). D'autres informations nous viennent d'un article de Tim Cook : « "Our First Duty Is to Win, at Any Cost" : Sir Robert Borden During the Great War », *Journal of Military and Strategic Studies,* vol. 13, nº 1, printemps 2011.

La section sur les origines de l'excellence du Canada en matière de financement des sciences environnementales par le gouvernement et sur l'âge d'or de l'ère Mulroney se fonde surtout sur des entrevues de l'auteur avec David Schindler, John Stone et Jeff Hutchings. (Toutes les citations de Schindler et de Hutchings dans cette section sont tirées de ces entrevues, sauf indications contraires.) D'autres détails, incluant les témoignages directs racontant la Conférence de Toronto sur le climat en 1988, sont tirés d'un article d'Elizabeth May : « When Canada Led the Way: A Short History of Climate Change », *Policy Options*, vol. 27, n° 8, octobre 2006. Les informations additionnelles concernant les menaces qui pèsent sur la RLE en 1996 viennent d'un article de Stephen Strauss : « Outdoor Lakes Lab Fears Extinction », *Globe and Mail*, 13 juin1996, et d'un article de Dan Lett : « Lake Research Revived », *Winnipeg Free Press*, 10 juin 1996 (il s'agit de la même source que pour la citation « une tempête de protestations »).

La discussion sur l'effondrement de l'industrie de la pêche commerciale à la morue au Canada est issue de différentes sources :

Entrevue de l'auteur avec Jeff Hutchings ;

Jeffrey A. Hutchings et Ransom Myers: « What Can Be Learned from the Collapse of a Renewable Resource—Atlantic Cod, *Gadus morhua*, of Newfoundland and Labrador », *Journal canadien des sciences halieutiques et aquatiques*, vol. 51, n° 9, 1994 ;

Jeffrey A. Hutchings, Carl Walters et Richard L. Haedrich : « Is Scientific Inquiry Incompatible with Government Information Control ? », *Journal canadien des sciences halieutiques et aquatiques*, vol. 54, 1997 ;

Jacquelyn Rutherford, « Too Many Boats Chasing too Few Fish: The Collapse of the Atlantic Groundfish Fishery and the Avoidance of Future Collapses Through Free Market Environmentalism », *Studies by Undergraduate Researchers at Guelph*, vol. 2, n° 1, 2008. [journal.lib.uoguelph.ca/index.php/surg/article/view/803/1208] ;

Janet Thomson et Manmeet Ahluwalia, « Remembering the Mighty Cod Fishery 20 Years After Moratorium », CBC News, 29 juin 2012. [www.cbc.ca/news/canada/story/2012/06/29/f-cod-moratorium-history.html] ;

Archives numériques de la CBC, « Cod Fishing: "The Biggest Layoff in Canadian History" ». [www.cbc.ca/archives/categories/economy-business/natural-resources/fished-out-the-rise-and-fall-of-the-cod-fishery/the-biggest-layoff-in-canadian-history.html] ;

Dean Bavington, *Managed Annihilation: An Unnatural History of the Newfoundland Cod Collapse*, UBC Press, 2010.

Les détails sur le portefeuille de Rona Ambrose à l'Environnement sont tirés d'un article de Jane Taber : « Silence of the Lamb », *Globe and Mail*, 2 juin 2007, et d'un autre de Don Martin : « Harper Lowers Cone of Silence », *Calgary Herald*, 13 avril 2006. Les huit corrections apportées par le Parti vert lors du témoignage de Rona Ambrose devant le comité sont disponibles au : www.greenparty.ca/fr/releases/18.11.2006.

La citation de Stephen Harper, à la page 105, sur la nomination de John Baird au ministère de l'Environnement, est tirée de « Cabinet Shuffle Taps Baird for Contentious Environment File », CBC News, 4 janvier 2007. [www.cbc.ca/news/canada/story/2007/01/04/cabinet-shuffle.html]

Les citations de John Baird, aux pages 106-107, viennent de « Environment Minister Promises Tougher Climate-change Plan », Canwest News Service, 18 mars 2007, et de « Canada's Environment Minister Responds to NRTEE Report », CNW, 7 janvier 2008. [www.newswire.ca/fr/story/242877/statement-canada-s-environment-minister-responds-to-nrtee-report]

Un enregistrement intégral de la déclaration de Jim Prentice à la conférence de Copenhague existe au : www.youtube.com/watch?v=m8uRdy-HYSE. Les détails sur les canulars dont Prentice et son bureau ont été la cible sont tirés d'un article de Jane Taber : « Environment Canada Hit by "Damn Clever" Climate Stunt », *Globe and Mail*, 14 décembre 2009, qu'on trouve au www.theglobeandmail.com/news/politics/ottawa-notebook/environment-canada-hit-bydamn-clever-climate-stunt/article1346364 et de « Yes Men Take Credit for Fake Climate Releases », CBC News, 14 décembre 2009, qu'on trouve au www.cbc.ca/news/canada/story/2009/12/14/hoax-copenhagen-climate.html.

Les détails entourant la position de Prentice sur la défense de l'environnement avant et après son passage à Copenhague sont tirés de « Jim Prentice, Former Environment Minister, Pushed Alberta Towards Cap-And-Trade », *Huffington Post*/Presse canadienne, 14 août 2011, qu'on trouve au www.huffingtonpost.ca/2011/08/14/prentice-alberta-captrade_n_926365.html et de « Prentice Was Ready to Curb Oilsands: WikiLeaks », CBC News, 22 décembre 2010, qu'on trouve au www.cbc.ca/news/canada/story/2010/12/22/prentice-oil-sands-wikileaks.html.

Les citations tirées du discours de Jim Prentice à Calgary viennent d'un article de Jason Fekete : « Prentice Tells Oil Sands to Clean Up Its Act », *National Post*/Canwest News Service, 1er février 2010. [www.financialpost.com/news-sectors/energy/Prentice+tells+sands+clean/2509815/story.html]

Les analyses que fait Paul Wells de ce discours sont tirées d'un article qu'il a fait paraître dans *Maclean's* : « Why Prentice Took on the Oil Sands », 5 février 2010. [www2.macleans.ca/2010/02/05/why-prentice-took-on-the-oil-sands]

Des images de la démission de Jim Prentice et une entrevue l'expliquant peuvent être vues au www.cbc.ca/news/politics/prentice-leaving-politics-to-join-cibc-1.912704.

Les citations de Bruce Cheadle, à la page 115, sont tirées d'un de ses articles : « Prentice Drops Bombshell, Quits Cabinet », *Winnipeg Free Press*/Canadian Press, 5 novembre 2011. [www.winnipegfreepress.com/canada/prentice-drops-bombshell-quits-cabinet-106750723.htm]

Chapitre 4 • L'ère de l'aveuglement volontaire

La citation tirée des notes d'information préparées par le personnel d'Environnement Canada pour Michelle Rempel sont issues d'un article de Mike De Souza : « Bureaucrats Told Stephen Harper's Government Environmental Reforms Would Be "Very Controversial", Records Reveal », Postmedia News, 29 janvier 2013. [o.canada.com/technology/environment/bureaucrats-told-stephen-harpers-government-environmental-reforms-would-be-very-controversial-records-reveal]

La lettre ouverte de Joe Oliver ciblant les opposants à l'extraction des ressources peut-être lue sur le site de Ressources naturelles Canada à l'adresse suivante : www.rncan.gc.ca/salle-medias/communiques/2012/1/3528 (9 janvier 2012).

Les détails sur les consultations avec les industries du pétrole et du gaz et sur leur contribution à C-38 sont tirées d'articles de Max Paris : « Energy Industry Letter Suggested Environmental Law Changes », CBC News, 9 janvier 2013, au www.cbc.ca/news/politics/story/2013/01/09/pol-oil-gas-industry-letter-to-government-on-environmental-laws.html ; de Heather Scoffield : « Pipeline Industry Pushed Changes to Navigable

Waters Protection Act: Documents », Presse canadienne, 20 février 2013, au globalnews.ca/news/395183/pipeline-industry-pushed-changes-to-navigable-watersprotection-act-documents-5 ; et de Mike De Souza : « Stephen Harper's "Omnibus" Strategy to Overhaul Green Laws Was Proposed by Oil Industry, Says Records », Postmedia News, 10 avril 2013.

La citation de Rick Smith, d'Environmental Defence, à la page 123, est tirée d'un article de Juliet Eilperin : « Canadian Government Overhauling Environmental Rules to Aid Oil Extraction », *Washington Post*, 3 juin 2012. [articles.washingtonpost.com/2012-06-03/national/35460476_1_tar-sands-canadian-government-macdonaldlaurier-institute] Toutes les autres citations de Rick Smith dans cette partie et les interprétations qu'il fait du changement de ton après la publication de la lettre d'Oliver sont issues d'une entrevue de l'auteur.

La citation de Chantal Hébert, à la page 126, est tirée d'une de ses chronique : « Tories Scrambling to Keep Energy-based Economic Agenda on Track: Hébert », *Toronto Star*, 21 mars 2013. [www.thestar.com/news/canada/2013/03/21/tories_scrambling_to_keep_energybased_econo mic_agenda_on_track_hbert.html]

Les détails sur les notes d'information de Ressources naturelles Canada remises à Joe Oliver sont tirées d'un article de Mike De Souza : « Oil Sands "Landlocked" Due to Environmental Concerns and Market Bottle necks », 7 décembre 2011. [business.financialpost.com/2012/07/11/oil-sands-landlocked-due-to-environmental-concerns-and-market-bottlenecks/?__lsa=1eb2-3fc6]

Les détails concernant l'avis du personnel d'Environnement Canada remis à Peter Kent sont tirés d'un article de Mike De Souza : « Environment Canada Offers Peter Kent Tips to Describe Impact of Climate Change », Postmedia News, 28 septembre 2012. [www.canada.com/technology/Environment+Canada+offers+Peter+Kent+tips+describe+impact+climate+change/7315953/story.html]

Les recommandations ignorées au sujet des gras trans sont évoquées dans un article de Sarah Schmidt : « Feds Drop Trans-fat Monitoring in Foods, Despite Expert Advice », Postmedia News, 20 juillet 2012. [www.canada.com/health/Feds+drop+trans+monitoring+foods+despite+expert+advice/6960561/story.html]

La citation de Peter Kent, à la page 128, est tirée d'un article de Daniel

Veniez : « Independent Analysis Further Eroded with Closing of NRTEE », iPolitics.ca, 2 avril 2012. [www.ipolitics.ca/2012/04/02/dan-veniez-independent-analysis-further-eroded-with-closing-of-nrtee]

La fermeture des dossiers de la Table ronde nationale sur l'environnement et l'économie est rapportée dans « Peter Kent orders doomed advisory panel to turn over website files », Mike De Souza, 26 mars 2013. [o.canada.com/2013/03/26/peter-kent-orders-doomed-advisory-panel-to-turn-over-website-files]

La citation de Robert Sopuck, à la page 128, est tirée d'un article de Jeffrey Hutchings : « Harper Government's Muzzling of Scientists a Mark of Shame for Canada », 15 mars 2013. [www.thestar.com/opinion/commentary/2013/03/15/harper_governments_muzzling_of_scientists_a_mark_of_shame_for_canada.html]

La citation de Joseph Heath, à la page 129, est tirée d'une des ses chroniques : « In Defence of Sociology », *Ottawa Citizen*, 30 avril 2013. [www5.carleton.ca/socanth/ccms/wp-content/ccms-files/SOCI-2540A-In-defence-of-sociology.pdf]

Les détails entourant la dissidence de David Wilks sur une vidéo de YouTube sont tirés de « Re-education of David Wilks a Lesson in the Decline of Parliament », Andrew Coyne, *National Post*, 30 mai 2012. [full comment.nationalpost.com/2012/05/30/andrew-coyne-re-education-of-david-wilks-a-lesson-in-the-decline-of-parliament]

L'histoire des membres du cabinet fédéral qui snobent la cérémonie tenue en l'honneur du Nobel accordé au GIEC vient de « Harper Government Absent from Ceremony for Climate Change Experts », Canwest News Service, 13 février 2008. [www.canada.com/topics/news/politics/story.html?id=29fb149b-a842-4f5e-a4d0-5c6be778df66&k=63539]

Les détails sur l'utilisation de la formule « taxe carbone mortelle pour l'emploi » par les conservateurs comme une arme rhétorique sont tirés de « Tory Carbon-tax Campaign Against NDP Frames Debate, Tough to Counteract », *Huffington Post*/Presse canadienne, 19 septembre 2012, au www.huffingtonpost.ca/2012/09/19/tory-carbon-tax-campaign-_n_1898231.html et de « Great Moments in Farce: the Definitive Collection », Aaron Wherry, *Maclean's*, 15 octobre 2012, au www2.macleans.ca/2012/10/15/great-moments-in-farce-the-definitive-collection. Cet article de Wherry et celui intitulé « John Baird Put a Price on Carbon in

Writing and Signed his Name to it », *Maclean's,* 23 octobre 2012, au www2.macleans.ca/2012/10/23/john-baird-put-a-price-on-carbon-in-writing-and-signed-his-name-to-it, parlent aussi des engagements de Baird et de Prentice en faveur d'un prix du carbone. La citation de Wherry, à la page 134, est tirée de son article intitulé « The Commons : The Joke Is on You, Canada », *Maclean's,* 17 septembre 2012, au www2.macleans.ca/2012/09/17/the-commons-the-joke-is-on-you-canada.

La citation de Michael Den Tandt, à la page 136, est tirée de son article « If Keystone Goes Awry, Conservatives Will Have Only Themselves to Blame », Postmedia News, 21 février 2013. [o.canada.com/news/national/0222-col-dentandt]

Les chiffres du budget publicitaire du Plan d'action économique sont tirés de « Economic Action Plan Ads: Harper Cites Pride To Defend $113 Million In Ads », Bruce Cheadle, *Huffington Post*/Presse canadienne, 7 mai 2013. [www.huffingtonpost.ca/2013/05/07/economic-action-plan-adsharper_n_3232543.html]

Les détails entourant l'abandon par le gouvernement de la convention de l'ONU sur la désertification viennent de « Conservatives Defend Withdrawal From UN Drought "Talkfest" », CBC News, 28 mars 2013. [www.cbc.ca/news/politics/tories-defend-withdrawal-from-un-drought-talkfest-1.1317593]

La citation de Peter Kent lors de l'anniversaire du Protocole de Montréal est tirée de « Canada Celebrates 25 Years of Success with Montreal Protocol », communiqué de presse d'Environnement Canada, 14 septembre 2012. [www.ec.gc.ca/default.asp?lang=Fr&n=FFE36B6D-1&news=AE9117A6-E9D4-43DB-A6DE-6E779B550E1E]

Les détails sur les dons de l'étranger à l'organisme Canards illimités sont tirés de « Environmental Charities Not Biggest Recipients of Foreign Cash, Tax Returns Show », Presse canadienne, 10 mai 2012.

Les détails concernant la capacité réduite des agences gouvernementales de réagir en cas de crise environnementale viennent de différentes sources :

Gloria Galloway, « Cuts at Environment Canada Mean Fewer Left to Clean up Oil-spill Mess », *Globe and Mail,* 13 avril 2012. [www.theglobeandmail.com/news/politics/cuts-at-environment-canada-mean-fewer-left-to-clean-up-oil-spill-mess/article4178488] ;

« Ottawa Axes Ocean Pollution Monitoring Program », *Victoria Times Colonist*, 23 mai 2012 ;

Peter Ross, « Canada's Mass Firing of Ocean Scientists Brings "Silent Summer" », *Environmental Health News.* [www.environmentalhealthnews.org/ehs/news/2012/opinion-mass-firing-of-canada2019s-ocean-scientists] ;

Jonathan Gatehouse, « When Science Goes Silent », *Maclean's*, 3 mai 2013. [www2.macleans.ca/2013/05/03/when-science-goes-silent] ;

Margaret Munro, « Closure of Fisheries' Libraries Called a "Disaster" for Science », Postmedia News, 14 avril 2013. [o.canada.com/news/science-news/closure-of-fisheries-libraries-expected-to-stifle-science] ;

CBC News, « DFO Gets F in Free Expression from Journalism Group », 2 mai 2013. [www.cbc.ca/news/technology/dfo-gets-f-in-free-expression-from-journalism-group-1.1328597]

La citation d'Otto Langer, à la page 146, est tirée de « Northern Gateway Review Hobbled by Budget Cuts, Critics Say », CBC News/Canadian Press, 19 août 2012. [www.cbc.ca/news/canada/calgary/story/2012/08/19/gateway-pipeline-science.html?cmp=rss]

Les détails concernant l'opposition des groupes de plein air à la révision de la Loi sur les pêches sont tirés de « Outdoor Groups Worried that Federal Budget May "Gut" Fisheries Act », Scott Gardner, *Outdoor Canada.* [outdoorcanada.ca/19417/news/articles/outdoor-groups-worried-that-federal-budgetmay-%E2%80%9Cgut%E2%80%9D-fisheries-act?rel=author]

La citation de Conrad Fennema, à la page 146, est tirée de sa lettre au gouvernement, qui est publiée en ligne. [www.afga.org/news/article/Potential-amendments-to-the-Fisheries-Act/8bc6e88oefddbf48e1dco9d27dff50a]

La citation de Jeff Hutchings, à la page 147, est tirée d'un article de Peter O'Neil et Larry Pynn : « Canadian Scientists Slam Weakening of Federal Fisheries Act », *Vancouver Sun*, 28 mai 2012. [www.vancouversun.com/Canadian+scientists+slam+weakening+federal+Fisheries/6691159/story.html]

La section concernant les croyances antiscience et sur les origines de la démocratie américaine s'inspire de « Antiscience Beliefs Jeopardize U.S. Democracy », Shawn Lawrence Otto, *Scientific American*, 16 ctobre 2012. [www.scientificamerican.com/article.cfm?id=antiscience-beliefs-jeopardize-us-democracy]

L'intégrale du texte d'Emmanuel Kant « Qu'est-ce que les Lumières ? » peut se trouver au www.cvm.qc.ca/encephi/contenu/textes/kant lumieres.htm.

La source principale de la section sur les changements ayant affecté le Conseil national de recherches provient d'un chercheur dont l'auteur s'est engagé à ne pas divulguer le nom. En plus d'accorder de longues entrevues téléphoniques, la source du CNR a fourni de nombreux courriels envoyés au personnel par John MacDougall dans lesquels il établit la nouvelle stratégie de l'agence. Des détails additionnels sont tirés de :

CBC News, « Scientists Still Wary After Science Minister Says He Believes in Evolution »,18 mars 2009. [www.cbc.ca/news/technology/story/2009/03/18/tech-090318-gary-goodyear-evolution-scientists.html] ;

CBC News, « National Research Council to "Refocus" to Serve Business », 6 mars 2012, d'où est également tirée la citation de Gary Goodyear de la page 154. [www.cbc.ca/news/technology/national-research-council-to-refocus-to-serve-business-1.1216848] ;

« NRC Staff Enraged by Gift Cards », *Winnipeg Free Press*, 5 juillet 2012. [www.winnipegfreepress.com/local/nrc-staff-enraged-by-gift-cards-161407515.html]

Kate Allen, « National Research Council "Open for Business", Conservative Government Says », *Toronto Star*, 7 mai 2013, d'où sont tirées les citations de 2013 de Goodyear qu'on trouve à la page 111. [www.thestar.com/news/canada/2013/05/07/national_research_council_open_for_business_conservative_government_says.html]

Les citations de David Schindler sont tirées d'entrevues que l'auteur a eues avec lui.

Les détails concernant les expériences de Bill Buxton au CNR et dans l'industrie de l'imagerie assistée par ordinateur sont principalement issues des écrits de Buxton à ce sujet :

« The Cost of Saving Money: The Folly of Research Funding Policy in Canada », *Research Money,* mars 2001. [billbuxton.com/Research Funding.html];

« My Vision Isn't *My* Vision », tiré de *HCI Remixed,* MIT Press, 2008. [www.billbuxton.com/MyVision.pdf];

« The Long Nose of Innovation », *Business Week,* 2 janvier 2008, d'où sont tirées les citations de la page 161. [www.businessweek.com/stories/2008-01-02/the-long-nose-of-innovationbusinessweek-business-news-stock-market-and-financial-advice]

Chapitre 5 • Perdus dans le noir

Les détails sur la fuite de mazout dans le réservoir d'une installation d'Environnement Canada sont tirés d'un article de Mike De Souza: « Environment Canada Sent Itself a Warning After Diesel Leak at Water Research Building », Postmedia News, 21 janvier 2013. [o.canada.com/news/national/environment-canada-sent-itself-a-warning-after-diesel-leak-at-water-research-building]

Les détails concernant les nouvelles règles de confidentialité à Pêches et Océans viennent d'un article de Margaret Munro : « Scientist Calls New Confidentiality Rules on Arctic Project "Chilling" », Postmedia News, 13 février 2013. [o.canada.com/2013/02/13/feds-new-confidentiality-rules-on-arctic-project-called-chilling]

L'article publié sur le blogue de Muenchow et cité à la page 164 a été repris dans « Canadian Federal Research Deal "Potentially Muzzles" U.S. Scientists », CBC News, 16 février 2013. [www.cbc.ca/news/technology/story/2013/02/15/science-audio-munchow-scientist-muzzling.html]

Les détails sur l'incident ayant opposé Parcs Canada et le Bureau du Conseil privé sont tirés de « Harper's Communications Unit Bigfoots Parks Canada News Conference », *Maclean's*/Presse canadienne, 17 mars 2013. [www2.macleans.ca/2013/03/17/harpers-communi cations-unit-bigfoots-parks-canada-news-conference]

Les détails sur le transfert de la gestion de la RLE au gouvernement de l'Ontario et à l'Institut international du développement durable sont évoqués dans « Experimental Lakes Area Research Facility in Ontario Finds New Manager », *Toronto Star,* 9 mai 2013. [www.thestar.com/news/canada/2013/05/09/experimental_lakes_area_research_facility_in_ontario_finds_new_manager.html]

L'article de *MyKawartha.com* dans lequel Dean Del Mastro appuie la nouvelle entente est « MP Del Mastro Supports Environmental Lakes Area Deal », 13 mai 2013. [www.mykawartha.com/community-story/3716789-mpdel-mastro-supports-environmental-lakes-area-deal]

La citation de Jules Blais, à la page 167, est tirée de « Experimental Lakes Area in Danger of Closing », CBC News, 7 mars 2013. [www.cbc.ca/news/canada/story/2013/03/07/pol-experimental-lakes-to-be-moth balled.html]

Les détails sur la fermeture de Bamfield viennent de « Science Cuts: Ottawa Views Pure Science As "Cash Cow", Critics Say », *Huffington Post,* 7 mai 2013, au www.huffingtonpost.ca/2013/05/07/science-cuts canada_n_3228151.html, et de « Four Scientists Tally the Cost of Science Funding Cuts », *Toronto Star,* 19 mai 2013, au www.thestar.com/opinion/commentary/2013/05/19/four_scientists_tally_the_cost_of_science_funding_cuts.html.

Les détails entourant le renvoi de Pat Sutherland et la citation d'Andrew Gregg sont tirés d'un article de Don Butler : « Cold Comfort », *Ottawa Citizen,* 22 novembre 2012.

Index

C

G

H

I

J

K

L

M

N

O

P

Q

R

S

T

U

V

W

X

Y

Table des matières

Crédits et remerciements

La traduction de cet ouvrage a été rendue possible grâce à une aide financière du Conseil des arts du Canada.

Nous remercions le gouvernement du Canada de son soutien financier pour nos activités de traduction dans le cadre du Programme national de traduction pour l'édition du livre.

Les Éditions du Boréal reconnaissent l'aide financière du gouvernement du Canada par l'entremise du Fonds du livre du Canada (FLC).

Les Éditions du Boréal sont inscrites au Programme d'aide aux entreprises du livre et de l'édition spécialisée de la SODEC et bénéficient du Programme de crédit d'impôt pour l'édition de livres du gouvernement du Québec.

EXTRAIT DU CATALOGUE

Mark Abley
Parlez-vous boro?
Marcos Ancelovici et Francis Dupuis-Déri
L'Archipel identitaire
Bernard Arcand
Abolissons l'hiver!
Le Jaguar et le Tamanoir
Margaret Atwood
Cibles mouvantes
Comptes et Légendes
Denise Baillargeon
Naître, vivre, grandir. Sainte-Justine, 1907-2007
Bruno Ballardini
Jésus lave plus blanc
Maude Barlow
Dormir avec l'éléphant
Maude Barlow et Tony Clarke
L'Or bleu
Frédéric Bastien
La Bataille de Londres
Pierre Beaudet
Qui aide qui?
Éric Bédard
Les Réformistes
Recours aux sources
Carl Bergeron
Un cynique chez les lyriques
Tzeporah Berman
Vertes années
Gilles Bibeau
Le Québec transgénique
Gilles Bibeau et Marc Perreault
Dérives montréalaises
La Gang: une chimère à apprivoiser
Michel Biron
La Conscience du désert
Michel Biron, François Dumont et Élizabeth Nardout-Lafarge
Histoire de la littérature québécoise
François Blais
Un revenu garanti pour tous
Marie-Claire Blais
Passages américains
Mathieu Bock-Côté
La Dénationalisation tranquille
Fin de cycle
Jean-Marie Borzeix
Les Carnets d'un francophone
Gérard Bouchard
L'Interculturalisme
Gérard Bouchard et Alain Roy
La culture québécoise est-elle en crise?
Serge Bouchard
L'homme descend de l'ourse
Le Moineau domestique
Récits de Mathieu Mestokosho, chasseur innu
Gilles Bourque et Jules Duchastel
Restons traditionnels et progressifs
Joseph Boyden
Louis Riel et Gabriel Dumont
Dorval Brunelle
Dérive globale
Georges Campeau
De l'assurance-chômage à l'assurance-emploi
Claude Castonguay
Mémoires d'un révolutionnaire tranquille
Santé, l'heure des choix
Luc Chartrand, Raymond Duchesne et Yves Gingras
Histoire des sciences au Québec
Jean-François Chassay
La Littérature à l'éprouvette
Julie Châteauvert et Francis Dupuis-Déri
Identités mosaïques
Marc Chevrier
La République québécoise
Jean Chrétien
Passion politique
Adrienne Clarkson
Norman Bethune
Marie-Aimée Cliche
Fous, ivres ou méchants?
Maltraiter ou punir?
Chantal Collard
Une famille, un village, une nation
Nathalie Collard et Pascale Navarro
Interdit aux femmes
Collectif
La Révolution tranquille en héritage
Douglas Coupland
Marshall McLuhan
Gil Courtemanche
Le Camp des justes

La Seconde Révolution tranquille
Nouvelles Douces Colères

Harold Crooks
La Bataille des ordures
Les Géants des ordures

Tara Cullis et David Suzuki
La Déclaration d'interdépendance

Michèle Dagenais
Montréal et l'eau

Isabelle Daunais et François Ricard
La Pratique du roman

Louise Dechêne
Habitants et Marchands de Montréal au XVIIe siècle
Le Partage des subsistances au Canada sous le Régime français
Le Peuple, l'État et la guerre au Canada sous le Régime français

Serge Denis
Social-démocratie et mouvements ouvriers

Benoît Dubreuil et Guillaume Marois
Le Remède imaginaire

Carl Dubuc
Lettre à un Français qui veut émigrer au Québec

André Duchesne
Le 11 septembre et nous

Valérie Dufour et Jeff Heinrich
Circus quebecus

Renée Dupuis
Quel Canada pour les Autochtones?
Tribus, Peuples et Nations

Shirin Ebadi
Iranienne et libre

Joseph Facal
Quelque chose comme un grand peuple
Volonté politique et pouvoir médical

Joseph Facal et André Pratte
Qui a raison?

David Hackett Fischer
Le Rêve de Champlain

Dominique Forget
Perdre le Nord?

Graham Fraser
Vous m'intéressez
Sorry, I don't speak French

Alain-G. Gagnon et Raffaele Iacovino
De la nation à la multination

Lysiane Gagnon
Chroniques politiques
L'Esprit de contradiction

Robert Gagnon
Une question d'égouts
Urgel-Eugène Archambault. Une vie au service de l'instruction publique

Danielle Gauvreau, Diane Gervais et Peter Gossage
La Fécondité des Québécoises

Yves Gingras et Yanick Villedieu
Parlons sciences

Jacques T. Godbout
Le Don, la Dette et l'Identité
L'Esprit du don

Peter S. Grant et Chris Wood
Le Marché des étoiles

Benoît Grenier
Brève histoire du régime seigneurial

Allan Greer
Catherine Tekakwitha et les Jésuites
Habitants et Patriotes
La Nouvelle-France et le Monde

Scott Griffin
L'Afrique bat dans mon cœur

Steven Guilbeault
Alerte! Le Québec à l'heure des changements climatiques

Chris Harman
Une histoire populaire de l'humanité

Jean-Claude Hébert
Fenêtres sur la justice

Michael Ignatieff
L'Album russe
La Révolution des droits
Terre de nos aïeux

Jean-Pierre Issenhuth
La Géométrie des ombres

Jane Jacobs
La Nature des économies
Retour à l'âge des ténèbres
Systèmes de survie
Les Villes et la Richesse des nations

Daniel Jacques
La Fatigue politique du Québec français
Les Humanités passagères
La Mesure de l'homme
Nationalité et Modernité
La Révolution technique
Tocqueville et la Modernité

Stéphane Kelly
À l'ombre du mur
Les Fins du Canada
La Petite Loterie

Will Kymlicka
La Citoyenneté multiculturelle
La Voie canadienne

Tracy Kidder
Soulever les montagnes

Mark Kingwell
Glenn Gould

Robert Lacroix et Louis Maheu
Le CHUM : une tragédie québécoise

Céline Lafontaine
Nanotechnologies et Société

Vincent Lam
Tommy Douglas

Yvan Lamonde et Jonathan Livernois
Papineau, erreur sur la personne

Daniel Lanois
La Musique de l'âme

Jean-Christophe Laurence et Laura-Julie Perreault
Guide du Montréal multiple

Suzanne Laurin
L'Échiquier de Mirabel

Adèle Lauzon
Pas si tranquille

Michel Lavoie
C'est ma seigneurie que je réclame

Jocelyn Létourneau
Les Années sans guide
Passer à l'avenir
Que veulent vraiment les Québécois?

Jean-François Lisée
Nous

Pour une gauche efficace
Sortie de secours

Jean-François Lisée et Éric Montpetit
Imaginer l'après-crise

Jocelyn Maclure et Charles Taylor
Laïcité et liberté de conscience

Marcel Martel et Martin Pâquet
Langue et politique au Canada et au Québec

Karel Mayrand
Une voix pour la Terre

Monia Mazigh
Les Larmes emprisonnées

Pierre Monette
Onon:ta'

Michael Moore
Mike contre-attaque!
Tous aux abris!

Patrick Moreau
Pourquoi nos enfants sortent-il de l'école ignorants?

Michel Morin
L'Usurpation de la souveraineté autochtone

Anne-Marie Mottet
Le Boulot vers...

Wajdi Mouawad
Le Poisson soi

Christian Nadeau
Contre Harper
Liberté, égalité, solidarité

Pascale Navarro
Les femmes en politique changent-elles le monde?
Pour en finir avec la modestie féminine

Antonio Negri et Michael Hardt
Multitude

Pierre Nepveu
Gaston Miron

Lise Noël
L'Intolérance

Marcelo Otero
L'Ombre portée

Martin Pâquet
Tracer les marges de la Cité

Jean Paré
Conversations avec McLuhan, 1960-1973

Roberto Perin
Ignace de Montréal

Daniel Poliquin
René Lévesque
Le Roman colonial

José del Pozo
Les Chiliens au Québec

André Pratte
L'Énigme Charest
Le Syndrome de Pinocchio
Wilfrid Laurier

Jean Provencher
Les Quatre Saisons dans la vallée du Saint-Laurent

John Rawls
La Justice comme équité
Paix et Démocratie

Nino Ricci
Pierre Elliott Trudeau

Noah Richler
Mon pays, c'est un roman

Jeremy Rifkin
L'Âge de l'accès
La Fin du travail

Yvon Rivard
Aimer, enseigner

Christian Rioux
Voyage à l'intérieur des petites nations

Antoine Robitaille
Le Nouvel Homme nouveau

Régine Robin
Nous autres, les autres

François Rocher
Guy Rocher. Entretiens

Jean-Yves Roy
Le Syndrome du berger

Louis Sabourin
Passion d'être, désir d'avoir

Christian Saint-Germain
Paxil Blues

John Saul
Dialogue sur la démocratie au Canada
Mon pays métis

Doug Saunders
Du village à la ville

Rémi Savard
La Forêt vive

Dominique Scarfone
Oublier Freud?

Michel Seymour
De la tolérance à la reconnaissance
Une idée de l'université

Patricia Smart
Les Femmes du Refus global

David Suzuki
Ma dernière conférence
Ma vie
Suzuki: le guide vert

David Suzuki et Wayne Grady
L'Arbre, une vie

David Suzuki et Holly Dressel
Enfin de bonnes nouvelles

Charles Taylor
L'Âge séculier
Les Sources du moi

Pierre Trudel
Ghislain Picard. Entretiens

Christian Vandendorpe
Du papyrus à l'hypertexte

Yanick Villedieu
La Médecine en observation
Un jour la santé

Jean-Philippe Warren
L'Art vivant
L'Engagement sociologique
Hourra pour Santa Claus!
Une douce anarchie

Martin Winckler
Dr House, l'esprit du shaman

Andrée Yanacopoulo
Prendre acte

Ce livre a été imprimé sur du papier 100 % postconsommation,
traité sans chlore, certifié ÉcoLogo
et fabriqué dans une usine fonctionnant au biogaz.

MISE EN PAGES ET TYPOGRAPHIE :
LES ÉDITIONS DU BORÉAL

ACHEVÉ D'IMPRIMER EN JANVIER 2014
SUR LES PRESSES DE MARQUIS IMPRIMEUR
À MONTMAGNY (QUÉBEC).